あいだで考える

ハマれないまま、生きてます

こどもと
おとなの
あいだ

栗《くり》田《た》隆《りゅう》子《こ》

創元社

はじめに

「あいだ」という言葉を聞いてどんなイメージが浮《う》かぶだろうか。

この本はこどもとおとなの「あいだ」がテーマだ。

その場合、幼児期を過ぎ、成人に至る手前の年代を想像する人が多いだろう。

そこでいう「あいだ」とは、おそらく下の図のように、こどもとおとなを両《りょう》端《たん》にした時間軸《じく》の「真ん中」に存在しているイメージとなるだろう。この★あたりに位置しているのがティーンエイジ・思春期となる。

「あいだ」という言葉はもうひとつの意味合いを持つ。漢字の「間」はもとは「閒」と書き、「門」と「月」からできた文字で、月が門の隙間《すきま》から見えることを表していると言われるが、「あいだ」という言葉はこの文字のように物事の分かれ目に生じる「穴」のごとき存在を意味する場合がある。たとえばハンモックで言えば左のページの「ココ」の部分も「あいだ」と言えるだろう。

ハンモックの場合この網《あみ》にスポっとハマって寝《ね》そべるものだが、載《の》せるもの

が小さければ、ハンモックの網目からこぼれてしまう。この本ではこどもとおとなの真ん中にいるみなさんに向けて、「こども」と「おとな」のイメージや期待されるありようからこぼれたはざまのような存在——主に私自身とその経験になるのだが——について書いていきたい。

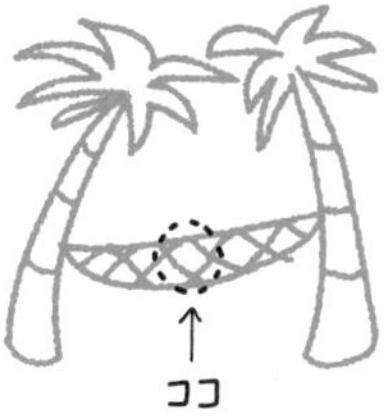

10代のみなさんが多く出会うおとな——たとえば親や先生など——は、いわばみなさんを指導すべき立場としてみなさんの前ではふるまう（あるいはふるまわざるを得ない）人が多いかもしれない。私のように一見おとなではあるものの、結婚《けっこん》もしておらず、子どももおらず、仕事をバリバリしているわけでもなく、常に謎《なぞ》のイキモノのような気持ちでいることを表明するおとな（?）にはあまり出会わないだろう。

こどもとおとなのあいだにいるみなさん、あるいはすでにおとなという自覚を持つみなさんに、こどもとおとなのはざまに潜《ひそ》むおとな、もといイキモノが出会って何が起こるのか、あるいは何が起こらないのか——。足元にお気をつけて、ゆっくりとこの「あいだ」の世界にお越《こ》しください。

佐野元春《さのもとはる》に感化されたあなたは「つまらない大人にはなりたくない」と6畳間《じょうま》で歌っていることでしょう。大丈夫《だいじょうぶ》。あなたは大人にはならない、ずっと半人前のままです。（略）つまらない大人になんかなってませんぞ。

——勝山実《かつやまみのる》『バラ色のひきこもり』（金曜日）

1章

6月は絶望の月

16歳《さい》は自殺未遂《みすい》から始まった。
息のつまる6月、湿度《しつど》、気だるさ、不安、絶望……。
16歳のハッピーバースデイは、呪《のろ》わしい一日だった。
それから30年以上たったいま、若い人に向けて
子どもと大人の「あいだ」を書こうとした時、
1文字も書けなくなってしまった。

えらそうな大人になりたくないし、
そもそもなれる気がしない。
そんな私が何を書けるのか。
パニックになる中で浮《う》かびあがるのは
50歳になってもなお、この社会の中で
「大人」にハマれない私……。
〝ハマれない世界〟へようこそ。

大人になることへの絶望、大人であることへの絶望

涙《なみだ》の編集会議

2023年の6月。なんて湿度《しつど》が高いんだろう。うつ病の私にとってつらい季節だ。頭が痛い。体がだるい。蒸《む》し暑いのに手足だけが妙《みょう》に冷えていたりする。いや、うつになる前からこの季節はとても苦手だ。自分の誕生月でもあるというのに、6月はろくでもない。文字どおり生きていくのが悲しくなってくる月だ。

……自分の内面にこもっている場合ではない。今はオンラインでの編集会議中である。それなのに気がつけば涙《なみだ》が出ていた。涙が出たとは比喩《ひゆ》ではない。何滴《なんてき》も何滴もぼろぼろと涙はやむことなく流れてくる。えらいことである。こんな仕事の場で、親しいわけでもない相手に対して号泣《ごうきゅう》したのである。

編集者が何か私に話しかけようとしている。そりゃあ待てど暮らせどなんにも私が書いてこないんだから、言いたいことは山のようにあるだろう。

でも、それをさえぎって私は泣きながら話しつづける。人をさえぎって話すなんて無礼極《きわ》まりない。だけどそんな無礼なぞ気にしていられないとばかりに私は話し

つづける。自分でも言葉を止めることができない。自分の話す声が自分の声じゃないみたいに、どこか遠くから聞こえてくる。

「私は大人になることに絶望していたし、いま大人であるということにも今もずっと絶望しつづけている。大人である自分の中に子どもの自分が住みつづけるといったインナーチャイルドというものなのかもしれないけれど、とにかく子どもであることとか、子どもについて考えるとなぜか気分が重くなる。それだけでなく50歳《さい》になった今も現在進行形で『大人であること』にも絶望しつづけている。私はよく年《ねん》齢《れい》不《ふ》詳《しょう》と人から言われる。声も話し方も成熟した大人のものじゃない。内側のみならず外側にも漏《も》れだしている『絶望』をまるで無視して、さらりと器用に『子どもと大人のあいだ』なんていうテーマで社会批評やエッセイを読みやすく書くなんて私にはできない。別段意図的に『大人』にハマるまいとしているわけじゃない。それなら、子ども時代に子どもらしい子どもだったかといったら全然違《ちが》う。子ども時代には子どもらしさからズレていて、ハマれなかった。自分の意思で計算してカッコつけて、子どもにも大人にも意図的にハマらないまま生きているのともまた全然違う。この本のタイトルは『ハマれないまま、生きてます』になったけど、そのハマれなさっていうのは**子どもであることにも、大人になることにも、大人であることにもただただ絶望しているん**だっていうか」

「でもふだんの生活で、そんなふうに大人であることに絶望して生きているなんて意識してこなかった。申し訳ないことなのだけど、この企画《きかく》の話が出た時も、その自分の絶望なんてものを意識せず、さらさら書けると思っていた。だけどこの本が『10代の人に向けたもの』であると意識して書こうとしたらどうしても書き進めることができなくなった。**若い人にこっちからえらそうに何かを語ろうとするなんて、嫌《いや》だ。**えらそうにしてるつもりでなくても、こんなふうにきちんと出版社から販売《はんばい》する本を通して何かを言うだけですでにえらそうに見える。こんなふうにえらそうに言ったり書いたりしたくないという気持ちもふつふつと湧《わ》いてきてしまった」

「私は10代の頃《ころ》に自殺未遂《みすい》をしたことがある。小学校の頃からもともと学校が好きじゃなかった。高校進学直後から、学校に行こうとすると気持ちが悪くなり足が動かなくなって、不登校になったことに苦しくなって死にたくなった。その頃は『学校に行けない自分』を許せなかったということもあるけど、そこからさらに生きていくことも、生きつづけて大人になることも無理だと思ったから死のうとした」

「1980年代当時、登校拒否《きょひ》とかすると学校に行かない子どもを責める大人とか、あるいは学校の中でやたら威嚇《いかく》したり体罰《たいばつ》をふるったりする大人とかいろんな大人がいた。当然そういう大人は大嫌《だいきら》いだったけれど、でも自分が大人になった時、その頃の自分が嫌いだった大人のような人間にならない保証なんてない。いやむしろそういうある種の強くて嫌な大人になる可能性のほうが絶対に高いと思っていた。そういう強くて嫌な大人じゃないとこの日本社会の中で生き残れないと思っていたし。でもそんな大人にはなれないから死のうと思っていたんだけど。でもこの本を書く段になって、自分が本当に強い嫌な大人になったんじゃないかと思ってすごく怖《こわ》い」

「じゃあ強くて嫌な大人ってどういう大人かと言えば、身体《からだ》が大人であるということよりも**この社会の悪の構造に加担している**ってことがあるけど、そういう構造に加担してない人なんていない。多かれ少なかれみんな加担している。私だって結局自殺はしないで生き残って、いま大人と言われる年齢になって、この社会のいろんな悪や矛盾《むじゅん》に多かれ少なかれ加担して生きている。その絶望は今も抱《かか》えているけれど、私はそんな加担している状況を社会運動の形で変えていきたいとは思っていた。だけど、この本をスマートに当初の企画案どおりに書いてしまったら、**強くて嫌な大人として悪や矛盾に加担している側に立ちそうで嫌だ**」

「ちなみに、さんざん『大人が嫌だ』と言っているけど、じゃあ子どもだった頃、私は自分と同世代の子どもたちと気が合うかっていったら決してそうではなかった。私は子どもにそれほど夢を抱《いだ》いていない。というか大人がつくる社会が悲惨《ひさん》だからといって、子どもという存在に希望を託《たく》したり夢を見たりするのは、下手したら子どもにその悲惨な社会のツケを支払《しはら》わせることになりかねない。大人がやらかしたまちがいは大人が精算するべきだと思う」

「唐突《とうとつ》だけど新約聖書に『私にとって、生きることはキリストであり、死ぬことは利益である』っていう言葉があるけど（『フィリピの信徒への手紙』1章21節）、私の中にはずっと、そういう感覚があって。聖書の中の言葉によって、ようやく絶望を認めてもらった気がする」

「本を書くってことがそもそも大人の特権というかえらそうなことだとも思う。それこそ社会の悪に加担している部分は大いにあるとは思うけれど、それでもなぜ文章を書いてきたかと言えば、**言葉を出していかないと自分を守れなかった**から。つまり、**自分をさらして、自分のような人間がいるのだ、こんな人間でも社会に生きているんだ、と問題提起しないと自分を守れなかった**というか。だからこそ、子どもの人に向けてえらそうなことを言いたくないし。私はかれこれ30年以上ずっと、この社会で『えらい』とみなされるものに疑問を抱いてきたし、場合によっては抵抗《ていこう》も示してきたからこそ、よけいに書く手が止まってしまうのだと思う。とにかく説教はしたくない」

そんなことを泣きながら話していた。それこそ見た目は大の大人が号泣しているのだ。正直尋常《じんじょう》じゃない光景である。

文章を書きだして30年、原稿料《げんこう》や印税をもらうようになって15年以上はたっている。何度も打ち合わせや会議の場も経験してきた。編集担当者と議論をしたり、場合によっては抗議をしたりなどといったことはあったが、こんなにわけのわからない悲しみと絶望感に打ちひしがれながら編集会議で話すことになろうとは予測できなかった。自分をまともな大人と思っていないのはここまでに書いたとおりだが、それにしてもこんなことを今までしたことはなかった。

これをしれっと書けるなら……

さて、このような展開を予想していなかった本書の企画立ち上げの当初。「子どもと大人のあいだ」というテーマで、自分は子どもにも大人にもいまいちハマれない大人というスタンスでありながら以下の内容をしれっと書こうとしていたのである。

第1章　そもそも「大人」ってなんだ？

- 第1章では、そもそも「大人」とは何か、また、大人に求められるものや大人のイメージが時代につれて変化し、曖昧《あいまい》になっていることをとりあげる。
- 著者が子どもだった昭和時代から現在までの大人のイメージの変化を分析《ぶんせき》し、生まれた時代による学歴や労働状況《じょうきょう》などの違いや、「結婚《けっこん》して家庭を持ち、子どもを育てる」ことが「普通《ふつう》」で大多数派だった時代と現在の大人像の違いなどを説明。
- また、不登校や非正規労働を経てきた著者自身の話から、著者のような「年齢不詳」の層について述べる。

第2章「大人っぽさ」ってなに？

●第2章では、外見やふるまいなどで求められたり、判断されたりする「大人らしさ」「大人っぽさ」を中心にとりあげる。それは、ジェンダーの問題（男らしさ／女らしさ）と切り離《はな》せない。

●また、子どもから大人に移行する時期の「見た目」と社会のかかわりを見ていく。例……就活スタイル、ファッションなどにおけるセルフプロデュース、健康や清潔感などに関連するような見た目の「自己管理」（肥満／痩《や》せ、清潔／不潔など）、「大人になれない」と言われる層（ひきこもりやアルバイトなど）の年齢不詳の見た目、など。筆者自身の見た目についても触《ふ》れる。

第3章「子ども」と「大人」を区切るライン、あるいは「子どもにも大人にもハマれないまま、生きてます」

●まずは制度を知ってみよう──法や制度における「子ども／大人」の境界線

●「成人」ってなに？──政治・性・犯罪と、子どもと大人の境界線

●権利と義務／責任と免責《めんせき》（＝責任を負わずにすむこと）／R18＋（＝18歳未満鑑賞《かんしょう》禁止の映画）／選挙権年齢の引き下げ

●子どもも大人も権利を持っている。そこに線引きはない——「子どもの権利条約」から。
●子どもだと「してはいけない」ことなのに、大人だと時に「やらないといけない」と言われることについて考えてみよう。

もし、こんな内容をすらすらと私が書けるのならば、大人に「ハマれない」どころか、しっかりとした大人以外の何者でもないと今ならわかる。しかもこんなことを書ける大人は「過剰適応《かじょう》」とでもいうような、合わない服に無理やり自分の身体をつめこむような不器用な大人ではないだろう。「大人」という既製《きせい》服に合わせて自分をうまく調整しフィットさせるのが賢《かしこ》い大人だ。またさらに、ファッション用語でいうところの「抜《ぬ》け感」というか、一生懸命《けんめい》フィットさせるのではなくまったく「自然」に合わせることができて絶妙《ぜつみょう》に愛嬌《あいきょう》があったりすると公的にもプライベートでもウケる大人なんだろうと思う。

しかし幸か不幸かこの企画ではそんな試みは破綻《はたん》し、座礁《ざしょう》した。そもそもこの企画が具体的になるまで自分のこの展開を予想できなかった時点で賢い大人などとはとうてい言えない。だからこそ「子ども」という言葉に向きあった時、編集者に泣きながら訴《うった》えた「絶望」が沼《ぬま》の底から這《は》い出るように登場してきた。絶望はこんなことを私に向かって語りだすのである。

「こんな分析や評論、おまえじゃなくたって書けるし、おまえよりもっとうまく書ける人間はたくさんいる。そもそもスマートな分析や評論なんてものをおまえは本当に書きたいと思っているのか。いろいろ見ないことにしてうまくやろうとしているんだろう。おまえの子どもの頃に私がずっとそばにいたのを忘れたのか。ほかでもない『子ども』というテーマで、いろいろなかったことにして書こうとするとは……**おまえにしか書けないものがあるだろうが**」

……なんでこんな声が聞こえてきちゃうんだ。とにかくこの声のおかげでそこからまったく作業が進まなくなったのである。そもそもこの「声」はいったい何者なのか。栗《くり》田《た》隆《りゅう》子《こ》の幻聴《げんちょう》なのか。この原稿のことだけをピンポイントで突《つ》いてくる。こんな変な声が心の中でこだまする中で企画そのものが破綻しかねない事態になってしまったいま、「ハマれないまま、生きてます」というタイトルだけが心に響《ひび》いてくる。「子どもと大人のあいだ」というのは編集者と話しあう中で浮《う》かびあがったテーマだったのだが、「ハマれないまま、生きてます」というタイトルは私自身が考えたものであり、私のたっての願いで実現されたものだ。不思議なことにこのタイトルだけは今なお私自身、心の中で深く納得できている。企画倒《だお》れの危機の中でもこのタイトルだけは私の支えでありつづけ、船が沈没《ちんぼつ》して海に投げだされた時にようやくしがみつくことのできる流木のような存在に感じた。

若い人たちに向けて書こうとするだけで

しかしじゃあそれなら、編集会議の時に流した涙や悲しみや絶望がどこから来るのかを考えるのがとても怖くなった。その悲しみや絶望を見つめてしまったら、とりあえずいま、なんとか人前で泣かないで生きている自分が粉々になってしまうのではないかという恐怖《きょうふ》におちいった。

若い人たちに向けて物を書こうと構えるだけで、どうしてこんなにつらく、悲しく、逃《に》げだしたい気持ちになるのか。それこそ「ハマれないまま生きていく」自分をさらしたくないからだ。でもそれを書かなければ、「子どもと大人のあいだ」の「子ども」というものを書けないと思った。**そもそも言葉を発することのできない子どものありようを、いま言葉を持っている自分が言葉にする時点で乖離《かいり》があるし、嘘《うそ》**

をついてしまうことが怖かった。しれっと社会分析をできてしまうのも私においては「嘘」なのだが、今の私が得ている言葉を1枚1枚剝《は》ぎとられた状態を描《えが》くのは、言葉を持たない自分をもう一度体験するのに等しいつらさとなることがわかった。

そうだ。もうこうなったら、子どもにも大人にもハマれないまま生きている現状を書くしかない。まず「ハマれない」子ども時代のさまざまな経験を書き、そして「ハマれない」まま50歳にもなって生きているという現実をしつこいまでに語りたい。まずは子どもの頃にいかに「子ども」というものにハマれなかったのかを具体的に書き綴《つづ》ることしか私にはやれることがない。社会的文脈での「子どもと大人のあいだ」について分析したり研究したりするのも大事な仕事だと思うが、それは誰《だれ》かに任せよう。

それよりいま、子どもの頃を書こうとするだけで頭がぐらぐらして涙があふれてくるのはなぜなのか、なんでこんなに悲しくなるのか。この涙の意味を書くことが今の私のやれることだ。実は編集会議の時だけ涙が出たわけではなく、それ以降、この本を書き進めようとするたびに涙が出てくる。そんな混乱した感情のただなかで大人になった私が子どもの頃を思いだそうとする時にこそ、子どもと大人の「あい

だ」がヌッと姿を現してくるような気がする。その「あいだ」は制度や法律では掬《すく》いきれない形でおばけのように現れる。それに私はずっと慄《おのの》いている。

HAPPY BIRTHDAY SIXTEEN

16歳の誕生日に

ふと思いだした。号泣しながらの編集会議は2023年の6月だったが、私がいま抱えているような絶望、いや当時は「絶望」という言葉さえ出てこないほどの絶望を抱えて文字どおり死のうとしたのも6月だった。しかも、16歳の時。

1960年代に流行したアメリカンポップスに『Happy Birthday Sweet Sixteen（すてきな16才）』という歌がある。日本では高度成長期と呼ばれた時代に流行《はや》った古い歌。私の母親世代の人たちが若かった頃の歌。私は中学生の頃、自分の世代が好きな日本のアイドルの歌やポップスはほとんど聞かず洋楽ばかり聞いていた。だから16歳を明るく歌ったこの曲を、自殺未遂した時はすでに知っていた。

Because you're not a baby anymore

you've turned into the prettiest girl I've ever seen
きみはもう赤ちゃんじゃない。
ぼくが見た中でいちばんかわいい女の子になったよ。
（『Happy Birthday Sweet Sixteen』 ハワード・グリーンフィールド作詞、ニール・セダカ作曲・歌）

私の16歳も確かに赤ちゃんではなかった。でも誰かにとってのいちばんかわいい女の子になる間もなく、なれる気もせず自殺未遂から始まってしまった。湿度が高くじわじわと息もできないような気持ちにさせる月。バブル経済まっただなかの1988年の6月16日、私はこんな状況だった。
自殺未遂をした時のことについては文章を残している。そんなに長い文章じゃないので全文を引用したい。

とある一日

敷《し》きっぱなしの布団《ふとん》にまた倒《たお》れこむように身体を投げだす。制服を着たままなので、プリーツスカートは皺《しわ》だらけになってゆく。もっとグチャグチャになってしまえばいいと思う。どうせ学校に行かないのだから、行けないのだから。

　部屋の中は私ひとりだ。両親は共働きで朝早くから家を出ている。だから私が学校にまたこのところ行っていないことは知らないはずだ。でも担任がまた母の仕事場に私のことで電話するだろう。そして私がいつものように母に詰《つ》められるのは時間の問題なのだ。私は何を言われても何も答えられない。母に私の気持ちが分かるのだろうか。私自身、この自分の気持ちが分からなくなっているのに。

　これでも行こうとは思っている。けれど玄関《げんかん》に立つと足が震《ふる》えて、手の力が脱《ぬ》けて、目眩《めまい》がしてくる。もう今日はそんな自分になることがこわくて玄関までも行けなかった。

　いっそ本当の病気、内臓のどこかが悪かったりという原因があって、こんな状態になってしまっているのだったらどんなにいいだろうと思う。そうでなければ精神病というレッテルでも私に貼《は》りついているならば誰も私を責めはしないだろう。

　心身共に健康であれば学校に行くのは当然なこと、正常な状態で学校に行かないのは罪悪なのだと私はそう思っていたし、少なくともそう教えられてきたのだ。

　だから私は自分に対してなぜ学校に行けないのかという問いかけができない。何か必然的な理由づけがほしい。十把《じっぱ》ひとからげの「登校拒否」[*1]という言葉に言いようもない程嫌悪《ほどけんお》を感じている。「登校拒否」のイメージというと、暗い子、問題児、弱い人間、勉強嫌い、怠惰《たいだ》…等々。

けれど今の私は正《まさ》に暗く、問題児で、布団にうずくまっていることしか出来ない弱い人間なのだ。「登校拒否児」という言葉が今では私の肩《かた》にずっしりとくいこんでいる。

あの四角い教室という名の部屋で私は一日の大半を過ごさなければならない。クラスという名のもとに寄せ集められた同い齢《おなどし》というだけが共通点の人々と共に。

あの四角い部屋に一旦《いったん》入ると、私がありのままの私でいることはゆるされずクラスの一員として同化しなければいけない。同じ方向に座り、皆《みな》と同じ勉強をし、似

＊1　1990年代以降は一般に「不登校」という。1992年、当時の文部省は登校拒否（不登校）を、「何らかの心理的、情緒的《じょうちょ》、身体的、あるいは社会的要因・背景により、児童生徒が登校しないあるいはしたくともできない状況《じょうきょう》にあること（ただし、病気や経済的な理由によるものを除く）」と定義した。現在の文部科学省もこの定義をそのまま用いている。

1980年代頃まで、登校拒否は一般に「その子自身に原因や問題があって起こるもの」とみなされていた。しかし、登校拒否をする子どもがどんどん増えたため、「誰にでも起こりうるもの」と考えられるようになった。1992年の定義の「社会的要因・背景により」という部分には、そのような捉《とら》え方の変化が背景にあるとされている。

合おうが似合うまいが制服を身につけ、更《さら》にはそこで出会うクラスの人々とは適当に上手にやってゆく能力を養わなければいけないのだ——。

違う、そんな風に思ってはいけない。私が駄目《だめ》な人間だから、学校に行けないのだ。私には忍耐力《にんたい》も協調性もないのだ。社会に出てもきっと挫折《ざせつ》だ。甘《あま》ったれ。弱虫。人間のクズ。全て自分に当てはまってしまう。

いろいろな人を憎《にく》み、嫌った私。けれど今私はこの自分が、他ならぬ自分自身が一番醜《みにく》く汚《きたな》いと思う。

いつのまに眠《ねむ》ってしまったのだろう。目が覚めたら昼の十二時だった。ノロノロと習慣と惰性《だせい》のみで食べ出すごはん。全て同じ味に感じる。こんな人間がごはんを食べていいのかと思う。

死んでしまおうか、結局いつもここに行き着く。学校でも、家族の中でもお荷物の私にサヨナラしたい。世の中の誰をも好きになれない自分はいない方がいいのだ。

いいかげん決着をつけなければ、と思って包丁を握《にぎ》る。包丁ってこんなに重いものだったろうか。右手で握って左手首に押《お》しあててみる。強くあててゆくと血が段々にじみ出てきて手首のしわを赤く染める。もっと強くあてれば死ぬ——そう思ったとたんに首筋に、全身に寒気がして、包丁を持つ手の力が抜《ぬ》けてゆく。

こわかった…まずそう思った。そうして次第に情けなくなってきた。小心者の私は生きることはもちろん死を選ぶことすら出来ない。ただこうやってうずくまっているとしか出来ない。

窓から差し込《こ》む陽射《ひざ》しは初夏のものだ。私は背中でその陽射しを受けている。まるで私をあざ笑うかのような白々した光――。

We're afraid of everyone, afraid of the sun ―― Isolation.[*2]

（J・レノン　アイソレーション［孤独《こどく》］）

――眠ってしまおう。眠ることで何の解決になるわけでもないけれど、疲《つか》れてしまった。束《つか》の間《ま》でも私が解放されるのは眠りの中だけなのだから。

私は誰かの胸にしずみこむように、眠りの闇《やみ》に落ちていった。

（『子どもたちが語る登校拒否――402人のメッセージ』石川憲彦《のりひこ》・内田良子・山下英三郎《えいざぶろう》編、世《せ》織《おり》書房《しょぼう》、1993年）※明らかな誤字脱字《だつじ》は修正した。

＊2　「ぼくらはすべての人が怖い、太陽が怖い。孤独《こどく》だ」（引用者訳）。この曲はアルバム『ジョンの魂《たましい》』（1970年）に収録されている。

「生まれてすみません」の6月

30年以上前に書いた文章をひさびさに読んだあとの第一声。

「……あんまし変わってねーな」

素《す》に戻《もど》ってしまった。私の素は口が悪いのである。

自殺未遂をしたのは初夏だったように書いてあるが実は6月である。しかも決してねらったわけではなかったのだが自分の16歳の誕生日、6月16日だった。この日は確か梅雨《つゆ》の合間の晴れ間だったが、それでも湿度も高く、体がだるくなるような天気だった。冒頭《ぼうとう》に書いた編集会議中の号泣も6月なら、自殺未遂も6月。なんならもっと小さい頃には家族が親戚《しんせき》を呼んで誕生パーティーを開いてくれたにもかかわらず熱を出し、おおいに顰蹙《ひんしゅく》を買ったこともある。大学生時代には、普通の人であればせいぜい風邪《かぜ》程度の症状《しょうじょう》ですむようなウイルスが肝臓《かんぞう》に行ってしまい、肝炎《かんえん》となり1か月入院したのも6月だ。誕生月という本来存在が祝福されるべき時期にいろいろな禍々《まがまが》しいことが起きるのが私にとっての6月。太宰治《だざいおさむ》じゃないが「生まれてすみません」*3という気持ちにさせられる6月。ちなみに太宰の誕生月も6月で

死んだのも6月であり、それを知った時ざわついた気分になったものである。

何より、私は仕事の話をする際に「働かない／働けない」という表現をよく使ってきた。仕事をしない状態について、自分の意志で「働かない」のか、自分の意志を超《こ》えて体が動かなかったり、気持ちがついていけなかったりして「働けない」のかはそんなにくっきり分け目がつかないことが多いからだ。そんななか「とある一日」を再読したら「学校に行かない／行けない」といった意味のことをすでに書いていたのだ。自分の変わらなさに驚《おどろ》いたし、怖くなったし、なんならちょっと震《ふる》えた。

ちなみにこの文章は16歳の時に書いたものではない。自殺未遂をした2年後の18歳の時に書いたものなのだが、私のコアは18歳くらいから変わってないということになる。そしていま現役で不登校をしている人たちがこれを読んでもし共感したとしたら――それこそ今度は申し訳なさで震えてしまう。だってそれは「大人」の私たちが学校をこんなふうに閉塞《へいそく》的なまま結局40年放置してしまったということを意

＊3　「生まれてすみません」は太宰治の短編小説『二十世紀旗手《きしゅ》』の副題「(生《うま》れて、すみません。)」より。詳細《しょうさい》は168ページ「作品案内」参照。

味するのだから。私は学校の先生でもなく子どももいないので、自分が卒業したあとは学校空間にはほとんど足を踏《ふ》み入れたことがない。だから現在の学校事情をくわしくは知らない。ただ近所の公立の学校のまわりを歩くと、教室の建物も体育館も校庭も私の時代からデザインは変わってなさそうで、それはひどく気になる。学校の中でハミだし気味の存在が一息つける場所はトイレくらいしかないのではないかと思えてとても気になる。RCサクセション[*4]の曲『トランジスタ・ラジオ』のように「授業をサボッて屋上で寝《ね》ころぶ」ような学校はもはや歌の中にしか存在しないように思う。

「言《ことば》」と「思想」をいかに知り、つむいでいくか

「とある一日」に話を戻せば、「敷きっぱなしの布団に倒れこむ」というのは50を過ぎた今もよくやっていることだ。成人してからうつ病になって仕事に行こうとしても行けなくて「手の力が抜けてめまいがする」こともその後の人生でもよくあることだし、「私には忍耐力も協調性もないのだ。社会に出てもきっと挫折だ」「甘ったれ。弱虫。人間のクズ」と感じるあたりはストレス耐性が低く金を稼《かせ》ぐ才覚に乏《とぼ》しい未来の自分を予知したとすら思える。

しかしその後長い時間をかけて、「忍耐力も協調性もな」くてもなんとか生きていることとそのものに希望はあるし、あるべきだと思うようになった。そして**希望の土《ど》壌《じょう》となる「言《ことば》」と「思想」をいかに知り、つむいでいくかに私の視点は移行していったのだが、その移行をしていくプロセスが私にとっての「子ども」と「大人」の「あいだ」**だ。「忍耐力も協調性もない」「甘ったれ。弱虫。人間のクズ」と自分自身を責めた子どもの時代——こんな自分は絶対に生きていけない、と希望を見いだせなかった10代の時代について書くことは、「子ども」と「大人」、そしてその「あいだ」について考えるには重要なことのように思う。その時代は2章、3章で書いていきたい。

＊4　RCサクセションは1968年から91年まで忌野清志郎《いまわのきよしろう》を中心に活躍《かつやく》したロックバンド。詳細は168ページ「作品案内」参照。

2章

「子ども」にハマれない

すべての大人は、はじめは子どもだった（しかしそのことを覚えている大人はほとんどいない）。
——サン＝テグジュペリ『星の王子さま』
（引用者訳）

大人が期待する「子ども」の枠《わく》にあまりに適応できず、
鼻炎《びえん》や口内炎など身体中《からだ》が常に不調の幼少期。
漫画《まんが》や小説で語られる子どもは
現実の中にいる子どもじゃなくない?
大人が書く子ども、あるいは
この社会で理想とされる子どもってなんなの?
それとズレてる場合、どうやって生きたらいいの?
子どもらしさって普遍《ふへん》的なものなの?
あるいは大人らしさとか、大人であることとはなんなの?
疑問だらけの「子どもらしさ」と「大人らしさ」。
「らしさ」にふりまわされた経験を語ります。

子どもらしくない子ども

自分の思いを言葉で伝えられなかった悲しさ

とはいえ、しょっぱなから言ってしまうが、私の10代においていちばん派手で人目を引くような事件は不登校と自殺未遂《みすい》であって、あとは特段ものすごいエピソードはない。

おそらく傍《はた》から見たら私は幼稚園《ようちえん》から近所の公立小学校に進み、中学校に進み、水泳やピアノを習っていた「普通《ふつう》」の子ども、一時期だけ父方母方それぞれの祖母が同居したこともあったが、基本は両親と姉と私の核《かく》家族の中で育った「普通」の子どもだ。

1章で「大人になることへの絶望」だの『子ども』にハマれない悲しみ』だのをさんざん語ってきたわけだが、親や教師からの虐待《ぎゃくたい》であるとか、子どもたちによるすさまじいいじめであるとか(うっすらとしたいじめはいつも経験していた)、あるいは性暴力をふるわれるといった出来事に遭遇《そうぐう》したわけでもない。

だからこそこれから語る話は、私自身にとっては悲しいことでも、正直外から見たら笑える程度のことかもしれない。

映画監督《かんとく》のチャールズ・チャップリンは子どもの頃《ころ》、と畜《ちく》場まで引かれていく羊が列から逃《に》げだし跳《は》ねまわるのをみんながはやしたて、羊が「こっけい」に見えた場面に遭遇したことが彼《かれ》の映画スタイルの原点になったと語っている。人が悲壮《ひそう》になればなるほどおかしく見えるという状況《じょうきょう》は幸か不幸か存在している。また、なぜそんなに悲壮になっているのか？ と全然わからなくて笑ってしまうこともあるだろう。どちらにしてもこれから語る話がおかしくて笑いたくなったら、どうか後ろめたく思わず安心して笑ってほしい。ただその時に少しだけ、自分はどうして笑っているのだろう、と考えてもらえたらうれしい。「笑っちゃいけない」と抑《おさ》えつける前に、自分が何を笑っていいと思っているかをまず知ること、そしてどうして笑っていいと思っているかを考えること、それは自分を知る上でもとても大事なことだ。この本は何かをこちらから教えるというよりも、読んでいるみなさんが自分自身を知っていく機会となる本でありたい。

さて、今までも私の不登校の経験が注目されてインタビューなどを受ける機会はよくあったが、不登校にだけ焦点《しょうてん》をあてて子ども時代をふりかえることには常に違《い》和《わ》感があった。なぜなら私にとっての不登校はあくまで結果であり、問題があらわれた氷山の一角にすぎないからだ。その氷山の下のほうには、**家庭や学校の「日常生活」という名のもとに「あたりまえ」とされた行きづまりや、悲しみや、絶望**があったからだ。その悲しみや絶望が16年間レンガをひとつひとつ積んでいくように着々と積まれていった結果として不登校をしたにすぎない。不登校をしている時も苦しかったが、不登校をしていた時が苦しみや悲しみのすべてではない。何度も語っているように、子どもの頃《ころ》のことを思いだすと悲しい。**自分の思いを言葉で伝えられなかった悲しさ**。「言葉がない」というのはまさに「子ども」であるゆえだ。自分の思いを押《お》し殺さず、十全に伝えるには、「子ども」の私が持っている言葉はあまりに少なく、また表面的なものでしかなかった。あたりまえのそのことが私にはとてもつらかった。自分のことを言葉で伝えられない絶望や悲しさについて語りたい。

「日常」「普通」とみなされる世界の暴力性

ところで日常生活において絶望するという際には、2つの捉《とら》え方の違《ちが》い、あるいは認識《にんしき》の違いがあると私は考えている。この視点や認識は自分がその絶望的な事態に対してどのような立場から知っていくかでも違ってくるし、ひとりの人間においても人生が続く中で認識が変わることもある。

ひとつは「おだやかな日常」や「普通の生活」を奪《うば》われる絶望だ。たとえば虐待、すさまじいいじめ、性暴力、さらに言えば今もなお絶えない戦争や内戦、飢餓《きが》、難民となる状況、あるいは予期しない病に冒《おか》されるなど、これらはまさに「日常」「普通」であることが奪われた状況だ。このような状況は「社会問題」あるいは「異常事態」とみなされる。

他方でもうひとつ、**「日常」「普通」とみなされる世界そのものが暴力的だという絶望**がある。その暴力性を自分では薄々感じていてもほかの人には認識されず、言葉にならない違和感ばかりが募《つの》っていく。**子どもの頃の私にとって世界はそのような暴力に満ちていて、絶望していた。**

たとえば、今は配偶《はいぐう》者や恋人《こいびと》からの暴力はＤＶ（ドメスティックバイオレンス）という言葉で表現されるようになり、犯罪として警察も介入《かいにゅう》できるようになった。しかし２００１年の配偶者暴力防止法（ＤＶ防止法）の成立以前は、個人間のトラブルということで刑事《けいじ》事件にはならず、ともすれば「夫婦げんかは犬も食わない」などと言われて放置されていた。妻が夫から暴力をふるわれてもそれは「普通」で「日常的」で我慢《がまん》すべきあたりまえのこととさえみなす価値観があった。あるいは私が子どもの頃は、親はもとより教師からの体罰《たいばつ》もあたりまえだったが、２０２０年以降、体罰は法律で禁止されている。体罰を含《ふく》め「これはおかしいんじゃないか」「むだなことなんじゃないか」「残酷《ざんこく》じゃないか」と感じるさまざまな生活の出来事が、普遍《ふへん》的な問題、社会的な問題とみなされず「これが普通」「あたりまえ」とみなされていることが私にはとてもつらかったのである。先ほど「日常」を奪われる絶望の例のひとつとして「戦争」を挙げたが、当時の日本人以外の人が見たら「おかしい」と思う軍国主義や天皇崇拝《すうはい》なども第二次世界大戦の時は日本人の多くがそのような考えに賛成し、その結果戦争状態を「日常」「普通」と捉えようとしていた。戦争を異常なこと、おかしいことと感じて発言などすれば、そのまま警察にしょっぴかれてしまうような「日常」が約80年前には実際に存在していた。絶望に対して「2つの捉え方の違い、認識の違い」があると話したが、これは固定されたものではない。何を「日常」や「普通」と捉えるかは時代と社会のありように左右されてしまうのだ。

日常への疑い——子どもは疑問を出しづらい

私が子どもだった頃の1980年代は、義務教育の就学率どころか高校進学率も90%をゆうに超《こ》える状態だった。つまり学校に行くのは限りなく「日常」であり「普通」のことになっていた。しかし私の親世代が10代だった頃（1950～60年代頃）はまだ中学校を卒業して高校進学せず働きだすという人がクラスの半分程度はいてもおかしくない時代だった。[*1] つまり私の世代は義務教育以上のさらなる進学をするのはあたりまえだったが、大人たちの世代は進学したくてもできなかった人が多かった。それゆえに「学校に行くこと＝幸せなこと」という図式が私の世代よりも強かったとも考えられる。それこそ私が登校拒否《きょひ》をした頃は、まわりの大人やマスコミの論調などにも「学校に行けない子どもたちもいるのに、学校に行きたくないとはなんとぜいたくな悩《なや》みを抱《かか》えた子どもか」と言われていたものである。先ほどの「DVが暴力と認められなかった」話ではないが、当時は学校に行けることが幸せであり、学校の中にいじめや体罰が横行していてもそれは「普通」で、その日常を疑うなどありえないという状況だったのである。

特に子どもの立場では「大人」の考え方に対する疑問は出しづらい。親や周囲の大人が疑問を出しやすい環境《かんきょう》をつくってくれれば別だが、そうでなければ子どもが疑問を出してもいいとも簡単につぶされてしまう。

さらに、「疑問ばかり多い女の子」には男の子よりも周囲の視線がきつい場合もある。女性は疑問を出すよりも、人の話を聞き、相手を喜ばせるやりとりをすることがよしとされてきた歴史がある。接客業の女性のコミュニケーションでおすすめされる「さしすせそ」[*2]というものがあると聞いたことがあるが、疑問を呈《てい》することはジェンダーによっても受けとめられ方が変わる場合があるのだ。

「子どもらしさ」という呪《のろ》い

「○○らしさ」という言い回しがある。

子どもらしさ、若者らしさ、女らしさ、日本人らしさ、らしさ、らしさ、らしさ……。

「らしさ」だの「らしい」だのの9割は私の人生において敵である。はっきり言ってこの「らしさ」という言葉ほど、私に呪《のろ》いをかけてきたものはない。「子どもらしさ」とか「子どもらしく」という言い回しは私の人生のもっとも初手《しょて》で待ち受けていた呪いといっていい。そしてこの呪いは、2023年6月の編集会議の涙《なみだ》に至る

---

*1 文部科学省の統計によれば、1950年の高校進学率は42・5%、1965年は70・7%だった。1974年に90%を超《こ》え、2022年には98・8%となっている（通信制課程を含む）。

*2 「さしすせそ」とは相手客（男性が多い）に「さすが」「知らなかった」「すごいですね」「せっかくですし」「そうなんですね」と受け応えることで相手の気を悪くさせずに会話を進めるやり方を指す。

まで私の人生にずっしりと食いこんでいたようである。

私はいつもどこかこの「子どもらしさ」とズレていた。「子どもらしさ」どころか赤ん坊《ぼう》の頃からすでに「赤ん坊らしく」なかったようである。たとえば私は抱《だ》っこされるのがとっても苦手で、誰《だれ》かに抱っこされると嫌《いや》がって「おっぺす」*3のが通常の反応だったそうである。また生後10か月で母乳を拒否してその後はミルクしか飲まなかったそうだし、あるいは3歳《さい》にして昼夜逆転し夜中にずっと起きつづける生活を1年間やらかしていたらしい。夜中に起きて何をやっているかといえばおもちゃで遊ぶわけでもなく、歩きまわるでもなく、ひとりで玄関《げんかん》に座《すわ》りこみ靴箱《くつばこ》の靴の入れ替《か》えをしていたそうで、今だったら何かしらの病名がつけられたり障害があるとされたりしていたかもしれない。私のこの特徴《とくちょう》は障害として認識されはしなかったが、その代わりに「赤ちゃんらしくない」という親の眼差《まなざ》しを存分に受けたと言える。これらの話は私自身が覚えていたことではなく、母親が私に繰《く》り返し話して聞かせたのである。母親としては私が育てづらい子どもであったことを苦労話として訴《うった》えたかったのだろうが、私としては自分がそういう「子ども」だったこと（そして10代になってもその傾向《けいこう》が残っていること）そのものがただただ申し訳なかった。とはいえその申し訳なさをそのまま母親に伝

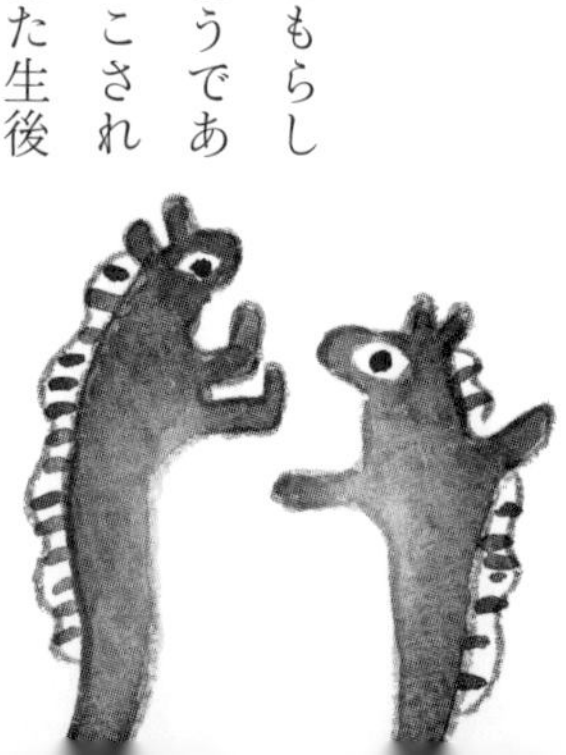

えられたかといえばそうではなく、ただニヤニヤしたり、「そんなこと言われても……」などと言ったように思う。そういうふうにふるまっていなければ申し訳なさに耐《た》えられないような、身の置きどころがない気持ちになったのを覚えている。

子どもの頃のマイクロアグレッション

また私は、母親に食べ方などをしつけられる時、「どうして私はそうしなければいけないの？」といちいち聞き返す子どもだったらしい。自分では我《が》の強いタイプとは思っていなかったのだが、そんなふうに「私は」「私が」という主語がいちいち出てくるせいか、小学校に上がる前に母親から「あなたは自意識過剰《かじょう》だ！」と言われたことがある。「自意識過剰」とたしなめられる幼稚《ようち》園児の話は正直あまり聞いたことがない。また、小学2年生くらいの頃、教育実習で来た学生さんがクラスのひとりひとりに丁寧《ていねい》に手紙を書いてくれたのだが、私への手紙に「りゅうこさんはおとなだから……」と書かれていたことが記憶《きおく》にある。いま思うと、教室の中でなんと

＊3　＝押《お》し返す。「おっぺす」は「押す」という意味の関東地方の方言らしい。抱っこを嫌がった私のことを話す時、なぜか家族はこの方言をよく使っていた。

なく浮《う》いて見えていたであろう私を「おとな」と遠回しに表現してくれた可能性もある。その意図はわからないのだが、私は自分が「子どもらしさ」にハマりきれないと自覚していたので、この「おとな」という言葉が自分の中にすんなり入ってきた。

数年前に「マイクロアグレッション（microaggression）」という言葉を知った。「マイクロ」は「微小《びしょう》な」、「アグレッション」は「侵害《しんがい》」や「攻撃《こうげき》」を意味する。無理に日本語に訳すなら「微小な侵害」などとなるが、定まった日本語訳はなく普通《ふつう》は英語のまま用いられる。『日常生活に埋《う》め込《こ》まれたマイクロアグレッション』（デラルド・ウィン・スー著、マイクロアグレッション研究会訳、明石《あかし》書店、２０２０年）という本によると、マイクロアグレッションとは「ありふれた日常の中にある、ちょっとした言葉や行動や状況《じょうきょう》」であり、「意図の有無にかかわらず特定の人や集団を標的とし、人種、ジェンダー、性的指向、宗教を軽視したり侮辱《ぶじょく》したりするような、敵意ある否定的な表現のこと」である。そして「加害者はたいてい、自分が相手を貶《おとし》めるようなやりとりをしてしまったことに気づいていない」という。

私は「子どもらしく」ない子どもだったこと、さらに太っていたこともあり、同級生たちからはマイクロアグレッションどころかひどくバカにされることもあった。

「子ども」の頃の私はマイクロアグレッションを日々受けつづけていたと思う。いちばんやるせなかったのは、母親に「りゅうちゃんは着られる既製《きせい》服がないから」と何度も言われたことである。「既製服」とは店で普通に売っている出来あいの服のことだが、今の社会ではもはや死語と言っていいだろう。ファストファッションなどなかった私の子ども時代には子ども服も結構な値段がしていて、ましてやプラスサイズの子ども服など皆無《かいむ》だった。既製服のサイズが合わない私は身体《からだ》に合わないきゅうくつな服を買うか、あるいは母の手作りの服を着るかの二択《にたく》だった。おしゃれだった母親としては「着られる既製服がないから」というのは子どもに似合う服を見つけたい気持ちのあまりに出た言葉なのだろうが、私の身体は母にとっては嘆《なげ》きの対象なのだと私は悲しくなった。ウエストの入らない既製服を「だらん」と手にさげて、「これはやっぱり入らない」と試着室を出て母に伝えた時の申し訳ない気持ちを今でも覚えている。

しかも「太っている」というのは昔も今もまじめな悩《なや》みではなく（子どもたちが私をからかったように）どこか滑稽《こっけい》なものとみなされる。日本ではお笑い芸人が「デブ」であるだけでウケるという状況もある。私が太っていることをバカにし、からかう子

どもたちは元気な明るい子として評価が高かった。そうすると、私の太っているのを嘆く母親もどちらかというと元気な明るいタイプに近いように思えてきて、自分が母を理解することはあっても母が私を理解することはないだろうとすら思えた。そして太っている自分はこの社会で歓迎《かんげい》される存在ではないのだと理解した。太っているほかの子どもたちの中には、自分の身体をそれこそ「笑いのネタ」として演出し、笑いをとっている子どももいたのだけれど、私はそれをする気にはなれなかった。なぜならそれほど教室の中の人たちを好きじゃなかったからだ。私が学校で苦しかったのはなかよくできる友だちがいないからではなく、なかよくしないといけない空間だったのがつらかったからだ。それほど好きじゃない相手に対しておどけてサービスする気に自分はどうしてもなれなかった。

身体もメンタリティも「普通の子ども」らしさからはズレている。そんなメッセージを受けつづけていた。それは私にとってはまさにマイクロアグレッションだった。

日々、身体が小さな戦場だった

ところでこういったマイクロアグレッションを日々受けつづけることの怖《こわ》いところは、個人差はあるとしてもストレスにさらされることによって身体の健康もそこなわれやすいという点だ。私自身、小さい頃はしょっちゅう風邪《かぜ》を引いていたし、喉《のど》も腫《は》れやすく、鼻炎《びえん》で鼻水も止まらず、口内炎もしょっちゅうできていた。また親指の爪《つめ》のわきの皮膚《ひふ》をすぐに剝《む》いてささくれをつくる癖《くせ》があった。ある時はそのささくれ部分にばい菌《きん》が入りこみその部分が膿《う》んでしまった。あわてて外科に行ったところ、爪の部分を全部剝《は》がすという、いわば「生爪《なまづめ》を剝がす」処置が麻酔《ますい》なしで行われ、大変に痛い思いをした。ささくれをつくってしまう癖は抜毛症《ばつもうしょう》（＝自分の毛をひっぱって抜《ぬ》く癖）や親指の爪を噛《か》む癖などと同じく自傷行為《こうい》と言えるものだという話をのちに聞いてびっくりした。

この頃のことを思うと親指の皮膚のみならず自分の心の膜《まく》がぼろぼろで、その下の生《なま》の部分が剝き出しになりそこに悪い菌が入りこんで膿んでいたような、そんな感じがする。私の身体は日々小さな戦場となっていたのだと思う。

自分をなんとか「子どもらしく」演出しようと思ったこともある。ある時親戚《しんせき》にディズニーランドに連れて行ってもらった。喜びを子どもらしく全力で示そうと「ディズニーランドー！！！」と入り口で思いきり叫《さけ》んだところ、「そんなに大声をあげなくても……」と親戚や姉から若干《じゃっかん》引かれ、大声を出して注目を集めたこととはまた別の恥《は》ずかしさを感じた記憶《きおく》がある。自分の嘘《うそ》くささが露呈《ろてい》したような気持ちになったのだ。「子どもらしさ」にまつわる私にとってとても恥ずかしい出来事である。

一方で母の知り合いが私のことを「天真爛漫《らんまん》ないい子ですね。あんなお子さんにどうやったら育てられるんですか?」と褒《ほ》めたこともあったらしいが、私自身がそんな「子どもらしさ」の演出をどこかでしてしまっていたのか、あるいは私の知らない私の姿を見て本当にそう思ってくれたのかわからない。教育実習生からは「おとな」と言われ、母の知り合いからは「天真爛漫ないい子」と言われるといったように、大人が何をもって「子どもらしい」と感じ、さらにそれをどう評価するのかは個々ばらばらなのである。

当時の私自身は、いじめられてもいたし、子どもらしくもなかったので、どのようにふるまえば周囲にとけこめるのかと試行錯誤《さくご》し、周囲の大人たちの評価に頼《たよ》りディズニーランドの件のように失敗するような日々を過ごしていた。**自分の腹の底から感じた思いを表現できる言葉がないと、人の価値観や評価基準にふりまわされやすい。**そういうみっともなさもまた、自信のなさにつながっていたと思う。

フィクションの中の子ども

かつての「大人」はもっと老《ふ》けていた

１９８０年代とは元号で言えば昭和*4の最後期《さいこうき》となるのだが、この時代は「昭和」という言葉でイメージされる古くさいことがまだ現役だった時代である。先ほど書いたようにＤＶや体罰が問題視されていない時代だったわけだが、この頃は「子ども」と「大人」が今よりもくっきり分けられていた記憶がある。今ならそれこそ40代のアイドルも存在するが、私の小さい頃は40代と言えばもう相当なおじさんおばさんであり、アイドルであるなんてありえないことだった。私の小さい頃の親の世代（だいたい30代半ばから40代くらい）には、今の私よりもよっぽど、よく言えば「成熟」した、悪く言えば「老《ふ》けた」大人が多かった。その時代の俳優などを見ると、今の

＊4　私は天皇制に反対なので「昭和」などの元号は使いたくないのだが、この本ではまさに「昭和」という言葉でイメージされる時代性がとても大きな意味を持つので、この本に限り、必要な際は元号を用いることにする。

私より若い年齢《ねんれい》であってもとても大人びた、落ち着いた顔をしている。アニメ『サザエさん』のフネさんは50代で今の私と同世代ということになる。だが、割烹着《かっぽうぎ》を着て、首の後ろの毛がほつれて顔には皺《しわ》があるといったいかにも「昔のおばあちゃん」風情《ふぜい》のフネさん。そんな50代は今の日本にはほとんどいないだろう。また『太陽にほえろ！』という1970年代から80年代に放映されていた刑事もののドラマがある。出てくる人物の9割が男性であるのも古くさいが、その男性たちが今の感覚からするとめちゃくちゃ老けていたのである。私が子どもの頃に「将来自分がそうなるだろう」と思っていた「大人」とは、まさにこの時代の大人の姿だった。**当時は今よりも「子ども」と「大人」の明確な境界線があった**のだ。

ではこんな「大人」が描《えが》かれる時代の「子ども」はフィクションでどのように描かれていたのだろう。

フィクションの中に私はいない

私は子どもの頃からインドア派の人間で、趣味《しゅみ》は読書だった。たとえば山中恒《やまなかひさし》という作家の『あばれはっちゃく』などといった本を親が買い与《あた》えてくれていたのだが、『あばれはっちゃく』はパワフルなガキ大将が主人公で、そんなガキ大将がメロメロになるようなかわいい女の子や、あるいは頭の回転が鋭《するど》く主人公にひと泡吹《あわふ》かせるライバルといった子どもたちが登場した。しかし私はそのさまざまなキャラクターの中の誰ひとり、自分があてはまるとは思えなかった。

また、当時愛読していた漫画《まんが》『ドラえもん』の中にも、私のような読書好きの女の子キャラクターなんて存在してはいなかった。しかも私は読書好きなのにもかかわらず(?)学校の勉強はまったくできず、しずかちゃんのような優等生でもなかった。おとなしくて、見た目も冴《さ》えなくて、運動神経もよくなくて、もちろん人気者でもない……というそんな女の子が今もクラスの中にいるのではないかと勝手に想像するが、私はそんな女の子が大人になったひとつの例だ。今の言葉で言う「陰《いん》キャ」とか「スクールカースト底辺」とかいうタイプに相当する。そんな女の子を描いた物語や小説は当時はほとんどなく、さらにそんな女の子がどのような大人になるかを描く物語はもっと少なかった。私がいま思いつくのはテネシー・ウィリアムズの戯曲《ぎきょく》『ガラスの動物園』くらいだ。

そして前述したように小さい頃の私はとても太っていたのだが、『ドラえもん』には「ジャイ子」という太った女の子のキャラクターが登場する。しずかちゃんとは対照的なキャラクターだ。「ジャイアンの妹だからジャイ子」と作者からも適当に名前をつけられるほどで、基本的にバカにされ、からかわれる存在。そもそも『ドラえもん』という漫画は、のび太がジャイ子と結婚《けっこん》して子だくさんで貧乏《びんぼう》な家庭を築くという未来を変えるために、のび太の子孫に連れられてドラえもんが未来からやってくる物語である。太っている女の子（＝ジャイ子）はそれだけで未来ののび太の子孫から否定されていること、そして私のような存在にいちばん近いのは、のび太でもドラえもんでもましてやしずかちゃんでもなく、ジャイ子であるということを自覚して以来（しかもジャイ子と違って私は絵もうまくなかった）、大好きだったはずの『ドラえもん』からなんとなく遠ざかってしまった。

私の好みは子ども向けのフィクションよりも、ノンフィクションだった。思えばノンフィクションというものは「○○らしさ」とは異なる現実を描く必要があり、私にはなじみやすかったのかもしれない。あの頃読んで記憶に残っている本は、タレントの黒柳徹子《くろやなぎてつこ》の書いた『窓ぎわのトットちゃん』や、1945年の東京大空襲《くうしゅう》などの戦争の問題が描かれた高田敏子《とし こ》作『ガラスのうさぎ』といった作品だ。キャラクターへの共感よりも、具体的なエピソードや戦争という事実の記述に焦点があてられていたことが、私としては非常に読みやすかった。

『あばれはっちゃく』を書いた山中恒氏は1931年生まれ、『ドラえもん』の作者の藤子《ふじこ》・F・不二雄《ふじお》氏は1933年生まれと、2人はほぼ同世代で、私の親よりもさらに年長だ。昭和の時代の「大人」のイメージは今の大人の姿とずいぶん違うという話をしたが、山中氏や藤子氏の描く「子ども」もまた、私のまわりに実際にいた「子ども」の姿とはずいぶん違う。正直、『あばれはっちゃく』の主人公のような、あるいはジャイアンのようなガキ大将は、私のまわりに普通にいたとは言えない。また、私の通っていた小学校で男子となかよく話ができる女子はそれほど多くなく、まして やしずかちゃんのようにいかにも「女の子」然としたタイプで男子としか遊ばない女子というのは、私の経験ではほとんど見かけたことがない。**子ども向けに、子どものために描かれているはずの物語に出てくる登場人物が、自分の実感とまったくズレていた**のだ。

山中恒氏も藤子・F・不二雄氏も、1945年の敗戦に至るまで徹底《てってい》的な軍国教育を受けた世代だ。[*5] だからこそ先生の言うことを聞かず暴れまわる主人公や、あるいはドジで泣き虫で昼寝《ひるね》が大好きで兵隊にはおよそ向かなそうなのび太のようなキャ

*5 山中氏は、天皇に忠誠を誓《ちか》いいずれは天皇のために死ぬのだと信じる徹底的な軍国少年に育った自らの経験を『ボクラ少国民』などの作品に書いている。

ラクターを描いたのかもしれない。天皇のために、戦争に勝つために、兵隊になって戦場に行って命を捨てることをよしとする教育。それを教える教師には絶対服従の教育。そんな教育を批判するためのガキ大将のあばれはっちゃくや弱虫ののびただったのであり、そのような視点にとって私のような存在は目に入らぬものであり、存在していても見えないものだったのかもしれない。

ただ、それを読む子どもの立場の私としては、自分に似たタイプの登場人物が漫画や小説には（山中氏や藤子氏の作品に限らずほかの作品も含《ふく》めて）なかなか出てこないゆえに、「自分は漫画や小説に描かれるには値《あたい》しない、『子ども』の中に入れてもらえない存在なのだ」と感じてしまった。皮肉なことに本ばかり読んでいる「子どもらしくない子ども」だったからこそ、児童文学に出てくる「子どもらしい子ども」、もっと言えば作者の理想とする「子どもらしい子ども」に数多く触《ふ》れてしまい、自分がそうでないことに落胆《らくたん》する機会も多くなってしまったのだ。

自分のような人間はこの世界では想定されていない

「物語や漫画の中に自分がいない」というのは私だけの問題ではない。たとえばラブコメの小説や漫画で描かれるのは異性同士の恋愛《れんあい》がほとんどで、ゲイの恋愛は

「ボーイズラブ（BL）」[*6]というジャンルでは大きくとりあげられるが、レズビアンはごく少なく、トランス男性やトランス女性[*7]はさらに少なくなる。フィクションの中に自分が見いだせないというのは書き手が自分の存在を想定していないという意味であり、そのような書き手の作品ばかりに出会えば、自分のような人間はこの世界の中では想定されていないのだと思うようになる。

そんなわけで私は小説も漫画もアニメもストーリー展開は楽しむものの、キャラクターへの感情移入というものはほとんどしたことがない……と書きかけて、いや違った、ひとつだけあった!! それは『ロビンソン漂流記《ひょうりゅうき》』である。ロビンソン・クルーソーという男が無人島に漂着し、その島で28年間暮らす物語。社会から孤立《こりつ》して生きる人間というものに私は非常にあこがれたのだ。私が読んだ本は原作の『ロ

＊6　1980年ごろには「やおい」とも呼ばれていた、男性同士の恋愛や性愛を描いた漫画や物語のジャンル。女性たちが作り手や読み手の中心であったが、近年は女性たちだけにとどまらない作り手や読み手が生まれている。

＊7　「トランス」という言葉は「越境《えっきょう》」という意味である。「トランス男性」「トランス女性」とはトランスジェンダーの男性や女性であり、生まれた時に医者や助産師など、周囲から判断された性別とは異なる（越境する）性を生きる人々のこと。（森山至貴《のりたか》著『LGBTを読みとく――クィア・スタディーズ入門』ちくま新書、2017年を参照）

ビンソン・クルーソー』第1部をさらに子ども向けに読みやすくしたものだと思うが、ロビンソンが流れついた孤島はおいしい果物が実る島で、食いしんぼうの私には実に都合がよかった。そんなに簡単に食べ物が手に入る島ならどうしてそれまで誰も住んでなかったの？　と今なら思うが、ともかくこれはあとでお話しする「ダンゴムシ」へのシンパシーと地続きの話なのである。ロビンソン・クルーソーへのあこがれは「世の中でなるべく目立たずに、ごはんはなんとか食べていける生活をひとりで送りたい」という願望の表れ以外の何ものでもなかった。

あまりに心細い「好きなもの」

私の悩みは、自分が誰かから好かれないことよりも、自分がいろいろなものを好きになれないことだった。

私は学校で、誰かからいじめられたり軽《かろ》んじられることより、なぜ自分がここにいなければいけないのかということに不服を感じていた。いじめられることが嫌というより、なぜ人が自分をいじめてきても教室に居つづけなければいけないのか？　と疑問に思っていた。友だちから好かれないつらさや先生への嫌悪《けんお》より、「なんで

『先生』というひとりの人が教室で40人もの子どもを相手にしているのか？　先生ひとりに子ども5人くらいならこんなにどなる必要はないのに」などと謎《なぞ》に感じていたのだ。

また両親に対しても、「なんでお母さんが家事も仕事もやっていて、お父さんは（仕事はしていても）家事はしなくていいのだろう」と不思議に思っていた。ここでつらかったのは、こんな疑問を持ってしまっているのは自分だけだった点だ。当事者である母も父もそんな疑問は露《つゆ》ほども持っていないのに（そのくせ母親は家事も仕事もやっているつらさを娘《むすめ》に愚痴《ぐち》としてぶつけてくるのである）、疑問を抱《いだ》いているのは自分だけというのは孤独なものである。

1章に掲載《けいさい》した「とある一日」では「世の中の誰をも好きになれない自分」と書いていたが、確かに子どもの頃の私には「ほとんどのものが好きになれない。好きになれないどころか、むしろ大嫌《きら》い」という感覚が強くあった。その感覚がそのまま誰かへの殺意（その殺意の相手は日によって変わるがたいてい家族か同級生か先生だった）となったり、あるいは「自分などいないほうが世の中にとってはいいのではないか」と思いつめたりした。そんな気持ちがよどんで存在していた。

好きなものがまったくなかったとは言えないが、それは人間よりも自然の中のも

のが多かった。ピアノの音が好き、プールに浮《う》く時の水の感触《かんしょく》が好き、空き地に咲《さ》いているおしろい花が好き、2月に咲く梅の花と小さな青いオオイヌノフグリが好き……など、断片のように好きなものはあった。でも自分の疑問や思考、いわば自分の存在のありようを否定されることを補うものとしてはあまりに心細い「好きなもの」だった。ミュージカル『サウンド・オブ・ミュージック』の有名なナンバー『マイ・フェイバリット・シングス（私のお気に入り）*8』のように自分の好きなものを端《はし》から口ずさんでみても、私にはそれを歌って聞かせてくれるマリア先生がいないせいか、不安だけが残るのだった。

*8　ミュージカル『サウンド・オブ・ミュージック』（1959年初演、65年映画制作）の中の曲（オスカー・ハマースタイン2世作詞、リチャード・ロジャース作曲）。雷《かみなり》を怖《こわ》がるトラップ家の子どもたちに家庭教師のマリアが「Raindrops on roses and whiskers on kittens Bright copper kettles and warm woolen mittens（薔薇《ばら》の上の雨粒《あまつぶ》、子猫《こねこ》のひげ、明るい銅のやかんと暖かいウールの手袋《てぶくろ》）」とお気に入りのものを歌って聞かせ、安心させるシーンがある。この曲はジョン・コルトレーンなどのジャズミュージシャンはじめさまざまなアーティストがカバーしている。

ダンゴムシへの共感

ダンゴムシになってしまいたい

そんななかで強く惹《ひ》きつけられた生き物。それはダンゴムシだ。

花や樹木を美しいと感じる感性はもう少しあとにならないと生まれてこなくて、物心がつく頃に私が好きだった生き物はダンゴムシだった。

好きになった理由は2つ。まず丸いことだ。小さい子どもは丸いものが好きだと聞いたことがある。確かにドラえもんもアンパンマンも、あるいはサンリオのキャラクターなども多くは丸っこい。曲線的な輪郭《りんかく》が愛される要因のひとつなのだろう。

しかし私は小さい子どもの好みというより、自分が太っていると意識させられて、丸いものを意識した部分がある。私には太っていて丸っこいゆえに認められない、好かれない、うとんじられるという紛《まぎ》れもない現実があった。それならば丸いのに愛されない存在ってなんだろう？　と思った時に目についたのがダンゴムシだった。

丸っこい虫といえば蝶《ちょう》や蛾《が》になる前のイモムシなどを思いつく人もいるだろうが、私の家は海沿いで植物が育ちにくかったためそういう虫は目につかず、ダンゴムシがいちばん身近な「丸い虫」だった。そして何よりダンゴムシがいいのは、攻撃を受けるとクルッと丸くなれるところだった。そもそも大きな石の下などにいて、存在そのものが目につかないようにしているのもいい。悪口を言われたらとりあえず丸くなってどこかに隠《かく》れてしまいたいという、子どもの頃の私の願いに非常に近い存在だったのだ。

そして2つめの理由は、ダンゴムシは悪いことをするから嫌われるわけではない点だ。嫌われる理由はビジュアル面によるところが大きい。いわば「生理的に受けつけない」というレベルの嫌悪を抱かれる。太って丸い私に対する子どもたちの態度もそんなものだったし、太っている自分さえいなければ私の周囲は問題がないのだろうな、と思うこともしばしばだった。特に子どものいじめなどは何が理由かもわからないし、こちらも子どもだからこそ、ダイエットなどということもまだ知らなくて、何をどうしたらいいかもわからない。

私はそんな世界に愛着を持てず、**それでもこの世界にもし自分が存在できるかたちがあるならばそれはダンゴムシみたいな感じだ**と思っていた。背が高くなってしまった大人の視点からは地面を這《は》うダンゴムシは見えにくいが、子どもの視点だとよく見える。さらに私は泥《どろ》遊びや砂遊びをよくしていたので、ダンゴムシは本当に身近だった。

「ダンゴムシみたいな状態なんだから、いっそダンゴムシになってしまいたい」

親からしかられたり、先生の指導が理不尽《りふじん》に思えたり、同じ教室の子どもたちの自分への扱《あつか》いが耐《た》えがたい時にはよく自分がダンゴムシになったことを想像した。

私には3つ年上の姉がいる。姉と私は性格も関心もずいぶん違う。あくまで私から見てではあるが、同じような育てられ方をしていても私より姉のほうが他人からどう見られるかを気にしていたと思う。というのも姉は、子ども向けの「マナーブック」的なマニュアル本を買い求め、食事のしかたとか挨拶《あいさつ》のしかたとかそういったものを自主的に学ぼうとしていたのだ。ちなみに姉は当時、勉強もできて、スポーツもできて、格好もよくて、性格も優《やさ》しくて……とご近所でも有名な子どもだった。同じ姉妹でどうしてこうも違うのかと嫉妬《しっと》した。こんなに完璧《かんぺき》なのに、さらに礼儀《れいぎ》作法まで学ぼうとするなんて！　人生の「嫉妬」という感情はこの時代に使い果たしてしまったと思うほどだ。私のほうは勉強もできず、見た目は言うまでもなく、なおかつ人望などというものもまったくない上に「なぜ行儀をよくしなければいけないのか?」と親に尋《たず》ねるほど、ちゃんと礼儀作法を身につけようなどという発想はまったく持っていなかった。あたりまえだが、同じような育て方をしてもどんな子に育つかは子どもによって全然違うのだ。

世間で言うところの「女性らしさ」にばっちりあてはまる女性なんて皆無だと私は思っているが、それにしても私自身はいわゆる「女性」に求められる価値――「愛されること、かわいいと思われること、モテること」――を人生において真剣に求めたことはなかった。子どもの頃はまず「目立ちたくない、攻撃されたらどこかに隠れたい、そして嫌なことをされたら丸まりたい」と願っていた身としては、ダンゴムシの生き様《ざま》こそが私の求める理想の姿そのものだったのである。

間奏曲
「子どもを書く」ということ

「子どもらしさ」の2種類

「子どもらしさ」とは結局なんなのだろう。「子どもらしさ」は常に大人によって表現されるが、その表現のされ方には大きく2つの種類があると思う。

まずひとつは、大人が子どもにそうであってほしいと願う人間像を「子どもらしさ」として表現する場合だ。これは児童文学や子ども向けの漫画《まんが》などで表現されることが多い。大人の理想であるからして、実際の子どもの姿とズレているのはあたりまえと言えばあたりまえかもしれない。

もうひとつは、大人にとっての「わからなさ」や「大人になって失ったもの」あるいは「大人より劣《おと》っているもの」を子どもという言葉を使って表現している場合だ。最後の「劣っているもの」の表現としては「子どもっぽい」という言い方が特徴《とくちょう》的だ。「子どもらしい」と言えばなんとなく肯定《こうてい》的だが、「子どもっぽい」と言うと未熟だったり、単純すぎたり、知恵《ちえ》が足りなかったり、残酷《ざんこく》だったり……と負の意味で使われていることがほとんどだ。**この「子どもっぽい」という言い方は、正直言って、実際の子どもの人に対してとても差別的で失礼な表現だと思う。**それこそ「未熟だ」「単純だ」「考えが足りない」「残酷だ」と言いたいならそう言えばいい。わざわざ「子ども」という言葉をひきあいに出して、相手の欠点や短所を指摘《してき》して問題ないと考える価値観や発想そのものが「子ども」という存在を自動的に劣位《れつい》に位置づける差別的発想だ。

だが、「この『子ども』の表現のしかたはおかしい！」とか「『子どもっぽい』という言葉で『子ども』を否定的なニュアンスで表現してもいいという考え方は差別だ！」という抗議《こうぎ》運動は今まで聞いたことがない。「子どもっぽい　差別」でネット検索《けんさく》をしてみると、「『女子ども』という表現は差別的だ」という意見はすぐに見つかるが、それ以外は「自分は『子ども舌《じた》』（＝カレーやハンバーグといったいわゆる「子ども」が好きそうな料理が好きなこと）だとバカにするように言われるのが嫌《いや》だ。味覚が子どもっぽくて何が悪いんだ」という主張を発見したくらいだ。しかしこれは「カレーやハンバーグが好きで何が悪いんだ」という主張であって、「『子どもっぽい』という言い方で人をバカにするのはそもそも子どもに対して失礼だ」という主張ではない。

またフランスの詩人ジャン・コクトーに『恐《おそ》るべき子どもたち』という小説がある。ある姉弟を軸《じく》に愛憎《あいぞう》の残酷さを描《えが》き、子どもに託《たく》して描くことでその愛憎をより鮮明《せんめい》にそして非道徳的に表そうとしているが、これもまたひねりはあるものの彼《かれ》の美学を「子ども」に託している作品で、リアルな子どもとはまた別モノである。

2章の冒頭《ぼうとう》に引用したサン＝テグジュペリ著『星の王子さま』の「すべての大人は、はじめは子どもだった（しかしそのことを覚えている大人はほとんどいない）」という1節も、これを私は小学生の頃《ころ》に読んだのだが、その時「うちの母親なんて、自分の小さい頃のつらかったことばっかり私に愚痴《ぐち》っているけど」とか、「そんなに大人と子どもって違《ちが》うのかしら。なんかそれこそ大人の思いこみなんじゃないかしら」と思った記憶《きおく》がある。いわば「子どもにも大人にもハマれない」私は、このサン＝テグジュペリの言葉もピンとこない「子ども」でありかつ「大人」なのかもしれない。

「信頼《しんらい》できない語り手」としての私

しかしいま、『星の王子さま』のこの言葉は私の中に不協和音のように響《ひび》いてくる。なぜなら「子ども」について語るこの本の中で現実の子どもの存在をとりこぼしていないか不安だからだ。また、自分の子ども時代を掘《ほ》り下げて読み手のみなさんに「何か心動くものはありますか」とさらして見せてみたものの、私が子どもの頃の自分を正しく覚えているとは限らないからだ。つまり私の話に「嘘《うそ》」が混ざっているのではないかと不安なのである。そもそも字数が限られているのだから私の経験すべてを書くわけにもいかないが、肝心《かんじん》なことを省いてしまうのではないかという恐れがある。

ここで私を励《はげ》ましてくれたのは、文学作品で使われる「信頼《しんらい》できない語り手」という手法だ。これは、語り手（書き手）が物語を嘘をつかずに語っているのか、あるいは正しい時系列で語っているのかなどを謎《なぞ》にしたまま物語を進める手法である。読み手は語り手を常に疑いながら、何が語られたかだけではなく何が語られていないかまで考えながら読まざるを得ない。書き手というのは読み手にとって「全《まった》き信頼に値《あたい》する正しい存在」としてみなされがちだ。そもそも信頼している相手でなければ本を読む気など起きない場合も多いだろう。しかし**この本は私自身が「全き信頼に値する」（しばしばそれは大人に期待される性質である）存在ではないからこそ書く意味がある**と思っているのだ。常に読み手のみなさんも頭をめぐらし、本を読みながら、「著者の視点はブレてないだろうか」「自分はどう考えていったらいいのか」と、それこそ推理小説で「本当の犯人は誰《だれ》か」と考えるような読み方で読んでもらえたら幸いだし、そのような読み方によってこそ、私のいわば大人にも子どもにもハマれないといううさんくささく不安定なありようをよりよく伝えられる気がするのだ。

「子ども差別反対運動」の困難

そもそも子どもが中心となった「子ども差別反対運動」というのはあまり聞いたことがない。子どもが中心となった運動で私が思いだせるのは、1970年代の「麹《こうじ》町《まち》中学校内申書事件」と、それに続いて展開された「反管理教育運動」ぐらいだろうか。

1960年代後半から70年代にかけて大学の自治や自由で自主的な学問を求めて抗議行動が行われた（一般的《いっぱん》に「大学闘争《とうそう》」と呼ばれる）。のちに東京都世田谷区長となった保坂展人《ほさかのぶと》氏（2024年3月現在も現職）は、中学生時代にその抗議行動の影響《えいきょう》を受けて麹町中学校で運動を開始した。そして高校受験の時に、麹町中学校で「麹町中全共闘」を結成し、校内でビラを撒《ま》いたり機関紙を発行したりするなどの政治的な活動を展開したと内申書に記載《きさい》され、「基本的な生活習慣」「自省心」「公共心」の項目《こうもく》に「C（特に指導を要する）」の評定がなされたことで全日制高校が不合格になった

（受験した都立高校と4つの私立高校のすべてに不合格となった）。それに対して保坂氏は、憲法19条で自由が保障されている「思想・信条」が評価の対象とされ、それによって学習権が侵害《しんがい》されたとして、16歳《さい》の時に東京都と千代田区に対して損害賠償《ばいしょう》を求める訴訟《そしょう》を起こした。この裁判は最高裁まで争ったものの「内申書には思想、信条そのものを記載したものではないことは明らか」とされて敗訴した。これは「子ども差別反対」をうたった運動ではないが、「大学生が行うような政治活動を中学生が行うことは『子どもらしさ』から逸脱《いつだつ》している」と否定的な評価を受け、不利益をこうむったことに対し「子ども」自身が起こした抵抗《ていこう》運動と言えるのではないだろうか。

その後保坂氏は教育ジャーナリストとなり「管理教育反対」を主張して活動した。またフリースペース「青生舎《せいせいしゃ》」を立ちあげ1980年代の「反管理教育運動」の中心となった。青生舎には中高生が集まり「学校解放新聞」が発行されたほか、全国各地で10代による反管理教育の運動が展開されたという。

……といってもそもそも「管理教育」という言葉が今や死語だ。管理教育とはたとえば校則で「スカートの長さは膝下《ひざした》5センチでなければいけない」とか「男子は丸坊主《ぼうず》にしなければいけない」などと定めるとか、内申書をちらつかせて日々の生活のチェックをするといった、規則や成績データで生徒を「管理」する教育体制のことをいう。1980年代にはこれが社会問題として注目されたが、今やそれがあたりまえになってしまっている。もともと茶色がかった髪《かみ》を黒く染《そ》めさせることなどが今なお平気で行われていて驚《おどろ》くが、これらも反管理教育運動の中で反対をしていた「教育」である。

しかしその後、「子ども」が主体となった反管理教育運動が世代を超《こ》えて継承《けいしょう》されたという印象は正直ない。理由はいろいろとあるだろうが、運動を担《にな》っていた10代の人々が「大人」になり、「子ども」としての運動が不可能になったということも大きな理由だろう。

もう「子ども」でない私に「子ども」の声を語れるのか

考えてみれば、女性の当事者運動（＝不利益を受けている人たち自身が起こす運動。4章で語るフェミニズムの運動はそれが基本だ）や障害者の当事者運動はあっても「子どもの当事者運動」は、もし生まれたとしても突発《とっぱつ》的なものになりがちだ。「女性である」「障害者である」といった属性は継続的な場合が多いが、「子ども」は生きながらえていれば必ず「大人」と呼ばれる年齢《ねんれい》になってしまう。そして当事者として主張できればできるほど、「子どもの当事者」というよりも「成長しつつある大人」とみなされてしまう。

私がこの論考を書くにあたって七転八倒《しちてんばっとう》した理由はまさにそこにある。子どもとしての当事者運動は個々人においてタイムリミットがあり、かつ運動しうる力がつけばつくほどそれは「大人」になっていることを意味してしまう。

そして、すでに言葉を持っている今の私が「子ども」について書く時、それこそ「子どもらしさ」という形や「そうであってほしい子ども像」を描いたり、あるいは自分に見えている子どもの姿しか描かなかったり、あるいは「子どもっぽさ」という言葉に象徴《しょうちょう》されるように、たとえば自分の世代と比較《ひかく》して「幼い」などと短絡《たんらく》的な分析《ぶんせき》をしたりしかねないと恐れたのである。

当初の予定どおりに「子どもと大人のあいだ」を社会的に分析して書くことを阻《はば》んだ私の中から響く声とは、**まわりに押《お》しつけられる「子どもらしさ」「子どもっぽさ」のイメージにハマりきれなかった「子ども」の私の声**だ。そして一部の大人が理想の人間像を「子ども」の姿で描くことによって、現実に「子ども」として生きていた私の声はずっと押しつぶされつづけてきたのである。

抱《だ》きしめたい
抱きしめたい
抱きしめたい
抱きしめたい

――「LOVE（抱きしめたい）」
（阿《あ》久《く》悠《ゆう》作詞、沢《さわ》田《だ》研二歌）

3章

「子ども」の私のセクシュアリティと自己否定

物心《ものごころ》つくかつかないかの頃《ころ》にとんでもなくセクシーな「スター」にテレビ越《ご》しに遭遇《そうぐう》。

私の半生において最もリビドー（＝性的本能による衝動《しょうどう》）が全開の幼少期。

しかしそんなエロい自分（しかも5歳《さい》）ではダメだ、性欲を意識することそのものが恥《は》ずかしく、いけないことなのだと自分を否定していくことも覚えてしまった5歳の頃。

性と否定に向かう感情。

自分自身も嫌《きら》いで、だけど自分を否定する周囲の人間も大嫌いだったあの頃。

極端な方向を持つ感情はただただどんどん内側にくすぶり、こもっていく……。

「愛されること、かわいいと思われること、モテること」への欲求はいわば「見られること」への願いが原点にあるだろう。また願いのみならず特に女性は一般的《いっぱん》に見る主体というより見られ、評価され、性的にも求められる存在であるべきだという社会規範《きはん》が今もまだしつこく残っていると思う。

しかし私はなんと幼児期にすでに見られることよりも、「見る」自分を意識させられるような強烈《きょうれつ》な人物にテレビ越《ご》しに遭遇《そうぐう》した。自分というものを意識するとしたら、誰《だれ》かに見られることよりも、誰をどのように私が見ているかということによってだった。そして、その自分の「視線」「眼差《まなざ》し」はあるスーパースターによって決定的に意識させられたのだった。

性の欲望と恥《はじ》を秘《ひ》めた幼稚《ようち》園時代

ジュリーへの眼差し

沢田《さわだ》研二、ジュリーをいつ、どこで初めて見たかは覚えていない。

気がつけばあの身体《からだ》と歌声が私の世界に入りこんでいたのだ。

最近芸能人や政治家を「さん付け」で呼ぶ人もいるが、私にとってジュリーはスターであるがゆえに「さん付け」はしない。ジュリーは「愛称《あいしょう》」かもしれないが、私にとっては愛称というよりは絶対に近づき得ないゆえに「さん」をつけないという気分だ。「近づき得ない」という感覚で言うなら「世界のクロサワ」とか「世界のサカモト」とか言う時に「さん」をつけないことと似ているのかもしれない。とにかく「ジュリー」は「ジュリー」としか呼びえないのだ。

ジュリーは化粧《けしょう》をして出てきた男性の歌手の先駆《さきが》けのような存在だったが、とにかく魅力《みりょく》的というか、端的《たんてき》に言って非常にセクシーだった。いや、セクシーなんて言葉じゃ追いつかない。いわゆるマッチョではなく独特の色気があった。幸か不幸か、私の人生でアイドルやスターにそんな色気を感じたことは後にも先にもない。だが、同時に自分がジュリーをすごく好きであることに恥《は》ずかしさを感じていた。それは**ジュリーを好きだった理由が、端的にエロい点にあった**からである。ジュリーは曲によっては半裸《はんら》の格好で登場するのだが、その半裸を見て興奮のあまりに顔を覆《おお》い隠《かく》してしまうくらいだった。そんな理由でジュリーが好きだなんて、まわりには（バレバレだっただろうが）そうそう言えなかった。その妖《あや》しいまでの魅力については多くの著名人も語っている。[*1] 私が幼稚《ようち》園児の頃《ころ》のジュリーとは、グループサウンズ

（＝欧米《おうべい》のバンドに影響《えいきょう》を受けてエレキギターなどを使い、1960年代後半に大流行したバンドを指す。沢田研二はザ・タイガースのボーカルだった）時代を終えて、ソロで活動していたジュリーなのだが、とにかくことあるごとに半裸になっていたのである。あと大事なことだが現実の沢田研二と、私が小さい頃のテレビに出てくるジュリーとは違《ちが》う。幼少の頃の私は当然テレビや映画の中の彼《かれ》しか知らない。そのような現実とは違う存在という意味をこめて、以降「ジュリー」とここでは呼ぶことにする。

＊1　沢田研二のソロ時代の多くの歌詞を手がけた作詞家の阿久悠《あくゆう》は自著『夢を食った男たち』（文春文庫、2007年）の中で、「何十というグループ・サウンズのソロ歌手の中で、沢田研二の魅力は群をぬいていた。華《はな》やかさだけではなく、艶《あで》やかさもあり、危険をはらんだ毒性もあった。少女たちは花を見、はるか年長のプロの男たちは、毒を感じて評価していた」と書く。またテレビプロデューサーの久世光彦《くぜてるひこ》は沢田研二について「女優だ」、人気絶頂の若手アイドル、郷《ごう》ひろみも西城秀樹《さいじょうひでき》も、さらには美貌《びぼう》で知られた美輪明宏《みわあきひろ》さえ沢田の代わりにはなれない、「底がまるでわからないくらい深い」とある耽美《たんび》雑誌掲載《けいさい》のインタビューで語ったという。その後2011年に明治大学で開催《かいさい》された「耽美《たんび》の誕生　ボーイズラブ前史」展では、久世光彦がプロデュースと演出を手がけた沢田研二主演、藤竜《ふじたつ》也《や》共演のテレビドラマ『悪魔のようなあいつ』（1975年放映）の一部を上映したところ「ギャーッ」「これが地上波で、ゴールデンタイムに流れていたとは～」と声が上がり、会場はヒートアップしたという。（以上、島﨑《しまざき》今日子著『ジュリーがいた　沢田研二、56年の光芒《こうぼう》』文藝春秋《ぶんげいしゅんじゅう》、2023年を参照）

1970年代のテレビとジュリー

1970年代のテレビは今の時代のテレビ番組とは違い、バラエティ番組に必ず歌手が出演してバラエティ的なコントをこなした上で歌を歌うコーナーが組まれていた。たとえば今で言うならひな壇《だん》芸人の中にアイドルやスター歌手がいて、その番組の中に歌うコーナーが設けられているといった具合だろうか。YouTubeが主流の今ではたとえるのも難しい状態だけど、何を言いたいかといえばテレビをつけているだけで、歌番組でなくともかなりの確率でジュリーが出演して歌う姿が見られるのだ。

ジュリーがセクシーだ、エロだと言ってきたが、具体的に言えばジュリーはやたらテレビの歌番組で半裸になっていた。黒革《くろかわ》の軍服のようなジャケットの下にシースルーでスパンコールが散りばめられた素肌《すはだ》と見まがうシャツを着て、ジャケットを脱《ぬ》ぎながら歌っていた（この軍服風衣装《いしょう》は「ナチスを連想させる」という批判の対象にもなった）。またある時は、なぜか全裸のような姿で足を抱《かか》えて座る姿で登場した。はっきり言って今ならグラビアアイドルだってあんな格好でテレビに出てくることはない。そして顔は甘《あま》いきれいな顔立ちだが、今の男性アイドルとは違い子どもっぽくはないし、ゴツくもない。背も170センチほどでそれほど高くはないし、男性の役者なら1

80センチあってあたりまえみたいな今の時代から見てスタイルがものすごく良いというわけでもない。

退廃《たいはい》的、デカダンスという言葉があるが、私はその言葉を知る前にジュリーの存在で体感したといっていい。退廃的な美しさとは明るい美しさではなくどこか悪さや罪や暗さを含《ふく》んでいる美しさだ。私がジュリーを好きだとはっきり意識した時に同時に感じたのは、**悪や罪や恥ずかしさといった後ろめたい感情**だった。それはこの社会では残念ながらエロスとか性に結びつけられがちな感情ではある。自分の性的な意識は、幸か不幸か罪の感情に結びついてしまったわけだが、そんな罪深い美しさを感じた芸能人は、私にとって今のところジュリーが最初にして最後である。

2024年4月現在75歳《さい》であるジュリーのガチファンは私の世代ではかなり少ないと思う。私より一世代二世代上の「お姉様方《がた》」（10代の人からすれば祖母に該当《がいとう》する世代）がファンの中枢《ちゅうすう》を担《にな》っているはずだ。またジュリーはアイドルというよりスターという言葉が似つかわしい時代の人だ。グループサウンズの頃はまだ私は生まれてないし、ジュリーがいちばん売れていた頃にしたって私は幼稚園に通いだしたくらいの頃。その頃幼稚園児が好きなのはおそらくコミックバンドのザ・ドリフターズのコントや当時アイドルだった2人組の女性ユニット、ピンク・レディーといった人たちだったと思う。幼稚園児がジュリーを好きだとまわりの子どもたちに伝えるのは、園児でグラビアアイドルが好きとか伝えるくらいの勇気が必要だったと言っても正直過言じゃないと思う。

そのくらいの年齢《ねんれい》ならたとえば初恋《はつこい》は同じ幼稚園の◯◯くんだ！　とか、お隣《となり》の優《やさ》しいお兄ちゃんだとかいうほのぼのエピソードが望ましいことも、当時からなんとなく肌で感じていた。しかし周囲の園児も近所のお兄さんもそういった対象にはまったくならず、そしてジュリーをただ顔がハンサムだから好きならまだしも「ジュリーがエロいから好き」という理由は隠さなければいけない！　と思った。それだけ自分を罪深く、そして後ろめたく感じていたのである。

自分のエロい視線への自意識

そしてもっと言えば、私はジュリーに抱《だ》かれるのではなく、いわばジュリーを「抱く」気満々な視線で見つめていたとも言える。半裸をさらすジュリーに対して抱く気満々の幼稚園女児なんて大人から見たら笑えるだけだろうが、当時はめちゃくちゃ真剣《しんけん》に見つめていた。だから、ほかの家族から「りゅうちゃんはジュリーが好きなんだねえ」などと言われた日には自分の性欲が白日《はくじつ》の下《もと》にさらされたような気持ちになり、恥ずかしさにつっぷしてしまったこともたびたびだった。

かっこいいジュリーを愛するお姉様方や、耽美《たんび》なジュリーを愛するBL好きなお姉様方と私が違う点、それは私がキャーキャー明るく言えない後ろめたさ込《こ》みでジュリーが好きだった点だ。

沢田研二主演『悪魔《あくま》のようなあいつ』をつくった久世光彦《くぜてるひこ》のように男同士の愛を通してジュリーを抱かれる側として描《えが》くなどという技を当時の私は知らなかったこともあり、もうそのままのこの「私」という存在が直接ジュリーを抱きたかった(!)のである。

当時、近所に住む親族の家に水着の女性のポスターがあり、それを食い入るように見てしまったことがあった。その女性を見ながらジュリーのことを考えてしまっていたのである。水着のポスターを「エロいもの」と勘《かん》づいたわけだが、そのエロさはすぐにジュリーに結びついてしまった。そして、大人の男が水着のグラビアを楽しむことがあると私はすでに知っていたが、自分が水着の女性にエロさを感じ、さらにそのエロさとジュリーを結びつけたことに強烈に罪深さや恥ずかしさを感じたのだ。いわばちゃんとした恋愛より先にエロを求めてしまった罪深さとでも言おうか。

それと同時に私はその時も自分が「ダンゴムシ」になったような気分だった。子どもの自分がジュリーを見ているというより、何かダンゴムシみたいな気持ち悪い存在としてジュリーを見ている気持ちだった。ダンゴムシみたいにジュリーを見ている気持ち悪さを大人である私が説明するならば、いわゆるR18＋（＝18歳未満鑑賞《かんしょう》禁止）の映画や漫画《まんが》のジャンルの「触手《しょくしゅ》」で人間ではないイモムシとかミミズの化け物みたいな生き物が相手の肌の上を這《は》いずりまわる、あの感じに近い。

ざっくり言えばそうそう表に出してエロい視線で誰かを見つめてはダメだと感じていたのだ。そういう意味ではどんなにあどけない子どもであっても性的なものはわかる、というか感じる。それが意味することを詳細《しょうさい》にはわからないとしても、いやらしいこと、何か隠しておかなくてはならないことだとはわかる。そういう意味では子どもを舐《な》めてはいけないのだ。

さらに私は、ジュリーに対して性欲を抱《いだ》くことさえ人に知られたくないと思っていたのに、自分の肌を見せたりそれ以上の行為《こうい》を誰かとともに行うことなど文字どおり恥ずかしさで死にそうな行為だと考えていた。しかし残念なことに、私にとって極《きわ》めて恥ずかしい出来事がその後起こってしまったのである。

服を脱がすな

さて、幼稚園の遠足の時のことだ。行き先は近所の公園だった。すでにその日は初夏で汗《あせ》をかいた。何も覆《おお》うところのない屋外の公園で、母親がやおら
「汗をかいたので着替《きが》えようね」

と私のシャツを脱がせにかかったのだ。

しかし私は反射的に
「嫌《いや》だ！」と叫《さけ》んだ。

ジュリーの半裸姿であんなに興奮してしまうからこそ、自分が半裸になるのもまずいと思ったのだ。

なぜなら私はすでにいやらしいとみなされるような「眼差し」の存在を知っていたからだ。

シャツを脱がせたからといって子どもは恥ずかしさも感じないし、誰もエロいとは思わないと母は考えていただろう。母だけでなくその時代は多くの人がそう考えていたと思う。でも私は違った。私はエロを知っていた。そして私は子どもであっても人間をエロく見ることを知っていた。私も人間だ。それならば私に対しても思いがけない存在が私をエロく見つめる可能性はある（それこそまわりにいた園児から見つめ

られる可能性もある)。……そんなことをおぼろげに感じていたのだ。

　しかしそんな今の私でさえ説明するのが難しいことを子どもの私は言葉として持っておらず、ただただ
「え！　やだ！！　恥ずかしい！！！」

となんとかシャツを脱ぐのを拒《こば》もうとしたが、それに対して母親は
「何を恥ずかしがっているの。まだ子どもなんだし、本当に『自意識過剰《かじょう》』なんだから。いいからさっさと脱いで」

などと言いながら、強制的にシャツを脱がせたのだった。

　そこで私はもうひとつ学んだ。

「子どもという立場では、裸《はだか》を見せるのを恥ずかしがることもまた恥ずかしいことなのだ」。

　子どもの身体に性的な視線を向ける人間が実際に存在するということはだいぶ後になって、大きな社会的事件[*3]が起きてから知った。今の時代なら、おそらく私の感覚のほうがまともな感覚として推奨《すいしょう》されるだろう。だが、私が子どもだった時代には「子どもの裸など性的に見られるわけがない」ゆえに「子どもが自分の裸を見られて、恥ずかしがることはおかしい」とみなされたのだった。そして親に「自意識

過剰」となじられたわけである。

そして私はこの時、「大人の女性だったら人前でシャツを脱ぐなんてこと絶対しないのに、子どもは人前でシャツを脱がされても恥ずかしがってはいけないのか。それならやっぱり私は子どもらしくないのだろう」と感じた。裸にされた恥ずかしさと、恥ずかしさを感じたことをおかしいと指摘《してき》された時の身の置きどころのない恥ずかしさ。この2つの恥ずかしさによって私はもはや存在しているだけで恥ずかしいといった気持ちになった。**子どもでありながら子どもでもないような存在、しかし絶対大人ではない存在。**自分の感覚としてはこんな状態だった。

『My Birthday』と不安

逃《に》げ場がなくなる

「子どもらしくない」自分はその後、教室でも家でもあいかわらずズレた存在であ

＊3　1988〜89年の東京・埼玉《さいたま》連続幼女誘拐《ゆうかい》殺人事件。犯人は27歳の男性で、彼の趣味嗜好《しゅみしこう》がマスコミで大きく報道され、「ロリコン（＝ロリータコンプレックス。少女への恋愛《れんあい》感情や性的欲望）」「オタク（＝SFやアニメ、漫画などに熱中する人）」という言葉が広く知られるようになった。

り、幼少期よりもさらに「逃《に》げ場」がなくなってきた。自分の家の周囲の空き地はマンションや駐車場《ちゅうしゃじょう》に変わった。同じマンションに住む子どもたちが立てつづけに引っ越《こ》しをしてしまった。また大きくなるにつれ親族の家にも気軽に遊びに行けるような感じでもなくなった。

また社会になじむということは、学校により濃厚《のうこう》になじまなければいけないことのように感じ、自分で自分を追いこんでしまった面もある。

そして幼少期よりもいわゆる思春期に近づけば近づくほどに周囲との「ズレ」が強く感じられるようになった。それにもかかわらず、学校以外の居場所を見つけようとすることは「してはいけない」ことのように感じるようになった。特にその感覚は中学校に上がってから強くなっていった。

余談だが2019年に上智《じょうち》大学で開催《かいさい》されたシンポジウム（「移民二世の時代――不平等の克服《こくふく》に向けて」）で移民2世の当事者の人が「日本社会になじむということは、通っていた教会や民族学校などではなく日本人の学校になじむということだった」（大意）と語っており、ひどく納得をした覚えがある。日本社会になじむということは、10代であれば「学校」になじむということなのだ。

そのプレッシャーは移民でない私も肌で感じていた。

ダンゴムシであることすら否定してしまう

幼少期は悲しくてダンゴムシのように丸まって逃げたくなった時は、部屋の押《お》し入れにこもって丸まっていたのだが、背が伸びるにつれて部屋の押し入れに自分の身体を押しこめることができなくなった。

漫画のドラえもんはのび太くんの部屋の押し入れで眠《ねむ》っているけれど、ドラえもんと違い私の身体はどんどん変化した。そして押し入れにこもって悲しいことをやりすごすことができなくなった。変化したのは身体だけではない。悲しい時に押し入れに入ることそのものを恥ずかしく思い、違和《いわ》感を覚えるようになってきてしまったのだ。これを成長とか、大人になったなどと単純に言ってよいのかわからない。なぜなら**自分を否定することを覚えた**からだ。自分がダンゴムシであること――休み時間になっても教室にいるのは息が詰《つ》まること、学校の友だちをつくらないほうが気楽なこと、さっさと動けないこと、いわば学校が合わないこと――**それらもろもろを自分でもいけないことなのだ、いけないと思わねばならないのだ、と否定するようになった**のだ。友だちをつくって好かれないといけないなどと思うようになったのである。それは本当に人恋しいというわけではなく、いわば世間に合わせようという心根の延長にすぎな

い話である。

そこである日、ダイエットを決行した。きっかけはいとこがダイエットに成功して私もやってみたいと思ったからだった。まさに若い（というかそれこそ子ども！）せいか今より確実に代謝《たいしゃ》がよく、少し食べ物を減らすだけでするすると痩《や》せていった。

そして友だちについてはどうなったかと言えば、確かに太っているという理由での蔑視《べっし》は消えたが、いじめる子どもは痩せたら痩せたでまた難癖《なんくせ》をつけたいものらしく、痩せたところで嫌なことを言う人は嫌なことを言うし、いじめる人はいじめるのだという事実を知っただけだった。

痩せてかわいくなってみんなから好かれる……といった、よくあるダイエットに伴《ともな》うハッピーエンドの物語を子どもの頃に信じなくなったことにはむしろ感謝すべきだろう。痩せれば絶対に幸せになれるわけではない。もちろん痩せたからといって幸せになれないとしてもそれはその人の落ち度ではない。人は置かれた状況《じょうきょう》や周囲にいる人によって幸せかどうかが変わってくるというあたりまえの話である。そして私はそのことを早めに知ることができたのだからよかったのかもしれない。

しかし身体だけ標準になっても私はやっぱりダンゴムシだった。いや、むしろダンゴムシのままどんどん成長していったと言っていい。いやもっと悪いことに、ダ

ンゴムシであることを否定しようとしたせいで、**何かあったら「逃げたい」とか「隠れたい」という気持ちすら否定しなければ、と思うようになった**のだ。

それこそエヴァンゲリオンのシンジくんがやたらめったら「逃げちゃやだめだ」と言っていたのを笑えない。そして私は、このように自分のありようを否定する考え方こそが、この社会の中では正しいのだと信じようとしたのである。

『MyBirthday』には不安や悩《なや》みの場所がある

さて、自殺未遂《みすい》をする3、4年ほど前、小学校高学年から中学に上がってしばらくくらいの頃、私は『MyBirthday（マイバースデイ）』という雑誌を知り、しばらく「占《うらな》い」にハマっていたことがある。

『MyBirthday』になぜハマったかと言えば、この雑誌の投稿欄《とうこうらん》に友だちがいないとか、いじめられているだとか、グループに所属しているけど自分だけなじめない……といった悩《なや》みがたくさん書かれていたため、そしてそのような悩みに対して「占い」や「おまじない」という、いわば「処方箋《せん》」が与《あた》えられていたためである。重要なのは、現実に対する不安や暗さが存在するという前提で雑誌が構成されていた点である。自分の誕生日に自殺未遂をした私にとって、この雑誌の名前はなんとも予言的である。

そもそも「占い」とか「おまじない」は人の不安やそれに伴うしんどさや悩みこそが存在理由なのだから当然と言えば当然なのだが、私としてはその雑誌の中に**不安や悩みが存在していることそのものが救いだった**のである。占いやおまじないのめざす方向は現世利益というか、友だちはいるほうがいいし、勉強はできたほうがいいし、明るい恋なら恋をしてもＯＫ（ただし雑誌の中に性教育は皆無《かいむ》）というノリであっても、学校生活に悩んでいること自体は受け入れられた気がしてうれしかった。最終的にはその現世利益の方向性についていけなくなったからこそ『Ｍｙ Ｂｉｒｔｈｄａｙ』を読まなくなったのだが、それでも「悩みがある」ことを前提に雑誌がつくられていたのがとてもうれしかった。

というのも私が10代の頃はいわゆるバブル期で、人の性格を表す語として「根明（ネアカ）」「根暗（ネクラ）」といった言葉が流行《はや》っていて、圧倒《あっとう》的に「根明（ネアカ）」が有利というか、人は明るくなければいけない、あるいはこんなに経済が発展して豊かなのだから明るくなければおかしい、といった時代だった。『少年ジャンプ』などの「努力・友情・勝利」は認められるけどまちがっても『ガロ』[*4]が好きとは言いにくい感じである。でもいまだに「陽キャ」「陰《いん》キャ」という言葉が存在していたり、あるいは「スクールカースト」なんて言葉があるくらいなので、今の学校でも、私が教室で過ごしていた頃とそれほど変わらない人間関係が展開されているのかもしれない。あるいは学校が求める人間像が変わっていないのかもしれない。「努力・友情・勝利」を最善とする人間像なんて、過労死するまで働くようなサラリーマンを理想としてるのか？　と思ってしまう。そんな理想像についていける人間などそうそういるわけがない。それこそ私の時代よりもさらに子どもの人の自殺率が高まっている背景には、この「陽キャ」「陰キャ」などという言葉がいまだにはびこる状況があるのかもしれない。ともあれ何が変わっていて何が変わってきていないのかは慎重《しんちょう》に見ていかなければいけないと思う。

　また、当時はメンタルヘルスの病気で医者にかかるのは今よりも格段にハードルが高かった。たとえば統合失調症《しょう》は「分裂病《ぶんれつ》」、知的障害は「知恵遅れ《ちえおく》」、認知症は「痴呆症《ちほう》」と呼ばれている時点で、いかに精神的な病や障害に対する理解がなかったかがわかろうものである。私自身、親指のささくれを剝《む》いてばかりいても、口内炎《えん》が多発するほどストレスを抱えていても、当時はそんなのは「あたりまえ」で誰かに相談するようなことではないと思いこんでいた。そうそう「自傷」なんて言葉も知られていなかった。

網目《あみめ》から漏《も》れてしまう存在だった

私は自分がどう考えるか、どう見るかということをいつも考えている。今も昔もそうだ。「私」という主語でいつも考えている。しかし、日本社会では、そんなふうに「私」を主語に物事を捉《とら》える子どもは素直だと思われないようだ。

「子どもと大人のあいだ」というのはこの本のテーマだが、この「あいだ」というのはたとえば網目《あみめ》の隙間《すきま》（まさに「間《あいだ》」という字が入る）という意味も持つ。**この頃の私はいつもその隙間から漏《も》れてしまう存在だった。**しかも厄介《やっかい》なことに上っつらだけは網に入っているかのように見えるのだ。私の身体は半分透明《とうめい》で、見えている側は網の上に乗っているが、見えない部分は網目から抜《ぬ》け落ちている、そんなふうに説明すればこの感覚は伝わるだろうか。

学校にいた頃、何度この「私」「自分」のすべてが消えてしまえばいいのに、と思ったことだろう。「みんなが好きなものを好きになり、みんなが嫌《きら》いなものを嫌

＊4　『月刊漫画ガロ』は1964年から2002年頃まで発行されていた漫画雑誌。比較的《ひかく》年齢層が高めの読者を持ち、重厚で暗いテーマを扱《あつか》う作品も多かった。掲載《けいさい》されていた作品は白土三平《しらとさんぺい》の『カムイ伝』、つげ義春《よしはる》の『ねじ式』など。ちなみに1980年代のバブル期においては経営難におちいっていたそうである。

う」ということがどうしてもできなかった。幼少期にジュリーが好きだった私は長ずるに及《およ》んでもやはりそんな調子でみんなが光《ひかる》ＧＥＮＪＩ（＝旧ジャニーズ事務所のアイドル）を聞いている頃にはビートルズを聞いていた。クラスでひとりシカゴ（＝当時流行《はや》っていたアメリカのロックバンド）が好きな男の子がいるのがわかったが、趣味《しゅみ》が近いからといってその男の子に近づくような社交性など当時は持ち得てもいなかったし、そんなパワーはその頃すでになかった。実際に学校の中でも友人関係はうまくいかないことばかりで、状況を冷静に分析《ぶんせき》するような言葉を持てなかった。そしてただただ「自分のようなものさえいなければ」と思っていた心に、スーッと悪魔のように忍《しの》びこむ作品と出会ってしまった。

否定が内側に入りこむ

太宰治《だざいおさむ》の『人間失格』

私の家は決して本がたくさんある家ではなかったが、母親が通勤の行き帰りに本を読んでいたことがあり、その文庫本の中に太宰治《だざいおさむ》があった。

当時の私にとって大人の代表たる母親は太宰治に関しては「大人になった身とし

てはああいうのはちょっとついていけない」と述べていた（いま思うと真っ当すぎる感想だ）。だが、まさに大人でもなく子どもからもズレていた私は、家の本棚《ほんだな》にあった『人間失格』をひきずりこまれるように読んだ。厨二《ちゅうに》（中二）病という言葉があるが、まさに中学2年生の頃のはずだ。一見ある程度「普通《ふつう》の家」「恵《めぐ》まれている家」（両親がいて、経済的に不自由がないという意味）に育っていても「自分だけがだめ」「恵まれているのにつらく感じるわがままな自分は許されない」という感覚を持っていた。

何度も書くように、私の家は「普通」だった。でもその状態がつらい私は日々自分は「普通」じゃないと意識させられていた。**そんな「普通」じゃない自分を受けとめ、表現できる言葉を自分の家でも学校の中でも見つけることができなかった。**衣食住も不自由ないし、学校に行ける状態は、まさに「普通」であり「望ましい」もののはずだった。だがその「普通」であり「望ましい」世界に強烈な違和感を覚える私のありようを受けとめ表現できる「言葉」を16歳くらいまでは見いだすことができなかった。世間から見てとりたてて問題のない「普通」の環境《かんきょう》の中で生きていても、私にとっては日々自分が否定される剣山《けんざん》の上に生きているようなもので、確実に生きるエネルギーを失っていった。そんな自分と太宰の『人間失格』は非常にフィットした。

『人間失格』の主人公である葉蔵《ようぞう》は冒頭《ぼうとう》で、「空腹を感じたことがない」という衝撃《しょうげき》的な告白をする。そのひと言でまず感じるのはこの主人公の特権的な立場だ。それこそ太宰は津軽《つがる》地方の大地主の家に生まれ、幼少期は飢《う》えとは無縁に生きてきたはずである。しかしその「恵まれている」はずなのに「つらそう」という点に私はまず自分を重ねてしまったのだ。私もこの日本では「恵まれている」はずなのにつらかったからである。だがこの「空腹を感じない」という事態は特権階級に生まれたからというだけではくくれない問題をはらんでいることがすぐにわかる。

いや、それは、自分が衣食住に困らない家に育ったという意味ではなく、そんな馬鹿《ばか》な意味ではなく、自分には「空腹」という感覚はどんなものだか、さっぱりわからなかったのです。へんな言いかたですが、おなかが空《す》いていても、自分でそれに気がつかないのです。

（太宰治『人間失格』青空文庫）

改めて読むと当時の私のように、「自分がある」というよりも「感じる自分がない」というありようで生きている印象を受ける。とにかく、自分が生きていることで周囲を不幸にしているというこの『人間失格』の主人公と、普通の生活では我慢《がまん》できないわがままな自分がいないほうが世の中のノイズが消えて平和な世界なんだろうなと思う私が妙《みょう》にシンクロしてしまったのだ。

「自分がいなくなれば解決する」

自分の行動を改めず（あるいは改める方法がわからず）自分の存在ごと消し去ろうとするというふるまいはこの主人公の自殺未遂の場面（太宰治自身も何度も自殺未遂や心中未遂を実生活で繰《く》り返していた）以外にもこんなところで出てくる。

葉桜の頃、自分は、またもシヅ子の帯やら襦袢《じゅばん》やらをこっそり持ち出して質屋《しちや》に行き、お金を作って銀座で飲み、二晩つづけて外泊《がいはく》して、三日目の晩、さすがに具合い悪い思いで、無意識に足音をしのばせて、アパートのシヅ子の部屋の前まで来ると、中から、シヅ子とシゲ子の会話が聞《きこ》えます。

「なぜ、お酒を飲むの？」

「お父ちゃんはね、お酒を好きで飲んでいるのでは、ないんですよ。あんまりいいひとだから、だから、……」

「いいひとは、お酒を飲むの？」

「そうでもないけど、……」

「お父ちゃんは、きっと、びっくりするわね」

「おきらいかも知れない。ほら、ほら、箱から飛び出した」

「セッカチピンチャンみたいね」

「そうねえ」

シヅ子の、しんから幸福そうな低い笑い声が聞えました。

自分が、ドアを細くあけて中をのぞいて見ますと、白兎《しろうさぎ》の子でした。ぴょんぴょん部屋中を、はね廻《まわ》り、親子はそれを追っていました。

（幸福なんだ、この人たちは。自分という馬鹿者が、この二人のあいだにはいって、いまに二人を滅茶苦茶《めちゃくちゃ》にするのだ。つつましい幸福。いい親子。幸福を、ああ、もし神様が、自分のような者の祈《いの》りでも聞いてくれるなら、いちどだけ、生涯《しょうがい》にいちどだけでいい、祈る）

自分は、そこにうずくまって合掌《がっしょう》したい気持でした。そっと、ドアを閉め、自分は、また銀座に行き、それっきり、そのアパートには帰りませんでした。

（傍点《ぼうてん》は引用者）

酒を飲むのをやめるわけでもなく、一緒《いっしょ》に住んでいる女性の持ち物を質屋に持っていって金に換《か》えるのを（そしてそれを飲み代《しろ》にしてしまうのを）やめるわけでもなく、ただただ「自分という馬鹿者が、この二人のあいだにはいって、いまに二人を滅茶苦茶にする」と思いこみ、その自分の「馬鹿」ぶりが変わることには1ミリも期待せず、姿をいきなり消してしまう。でもこれこそ「自分自身を否定している人」によくあることだと思う。私自身も小さい頃は「おまえは『子どもらしさ』からズレている」という周囲のメッセージに憤《いきどお》りや憤懣《ふんまん》やるかたなさを覚えていたものの、その親や先生や教室の子どもたちを代表とするような社会からの「否定」が年を重ねるに従いいつの間にか自分の中に入りこみ、自分自身もまた自分を否定するようになっていた。その「否定」によって当時の私は酒を飲みつづけたり、一緒に住んでいる親のお金を持っていったりするまでには至っていなかったが、「否定」が自分の中に入れば入るほど不思議なことに行動を改めるとか、誰《だれ》かに何かを相談するとかいうモードにならず、「0か100か」といった極端《きょくたん》な思考になってしまうのだ。そして突然《とつぜん》消えてしまうようなやり方が一緒に住んでいた女性や子どもの信頼《しんらい》を壊《こわ》すやり方であり、それこそ「幸福」を壊す行為《こうい》ではないのか？　という疑問がこの主人公には1ミリも想像できないのもまた「否定」が入りこんでいる証拠《しょうこ》だろう。

このような話は太宰治に限らず、暴力や虐待《ぎゃくたい》で「否定」が心身の内側に入りこんでしまうと、「自分がいなくなれば解決する」という発想にしか至らなくなると思う。

私は心理学や精神医学の専門家ではないからえらそうなことは言えないけれど、先日、朝日新聞の記者である永田豊隆《とよたか》著『妻はサバイバー』（朝日新聞出版、２０２２年）という本を読んだ。虐待や性暴力を受けた経験を持ち、その影響で摂食《せっしょく》障害に苦しんでいる妻である女性の20年にわたる苦闘《くとう》・格闘を、夫である永田さん自身も巻きこまれながら綴《つづ》った本である。次の引用箇所《かしょ》は、女性の過食により貯金がゼロになったことが発覚したあとの女性の様子である。

「私がいるとあなたが不幸になる」。妻は泣き崩《くず》れた。（略）妻がクレジットカードで購入《こうにゅう》する過食用の食料費は少ない日で5千円、多い日は1万5千円ほどにのぼった。私の月給とボーナスでは足りず、独身時代からの貯金を取り崩していた。

もう少し過食代を抑《おさ》えることができないか。彼女《かのじょ》に相談してみたが、逆効果だった。「私のせいであなたを苦しめている」。自分を責め、過食に拍車《はくしゃ》がかかった。

（傍点《ぼうてん》は引用者）

この女性にとって暴力や虐待を受けた過去から生き延びる手立てが過食であった。だからこそ彼女については「サバイバー（生存者）」であるとこの本には書かれており、私も別にこの女性を責める気はない。ただ**否定が自分の中に食いこむと、自分の行動を改めるよりも自分自身を消してしまおうとしてしまう。**そしてそのことによってさらに、自分も人も苦しくしてしまう。その悪循環《じゅんかん》にいったんハマってしまうとそこからの脱出《だっしゅつ》はほんとうに難しい。いまこうして書いているだけでも窒息《ちっそく》しそうな気分になる。

家出を試みる

さて、私はこの時代にひと晩だけだが家出をしたことがある。確か学校をサボって東京に出たものの、渋谷《しぶや》も新宿も駅から出ることさえ難しそうな大きな街で結局当時よく遊びに行っていた親戚《しんせき》の住む足立《あだち》区周辺をうろうろし、とはいえ親戚の家におじゃますることもできず、その頃は24時間開いているマックだのコンビニだのはあまりなかったこともあり、親戚の住むマンションの1階にあるゴミ捨て用の物置で一夜を過ごしたのだった。見た目がどう見ても未成年のため、夜中にウロウロして警察につかまり、事情聴取されるのも避《さ》けたかったからだ。

この家出で学んだこと。それはいくら屋根があるとはいえ12月の夜（当時の12月は今よりとても冷えていた）にコンクリートの床《ゆか》で段ボールも敷《し》かずに寝《ね》たら凍死《とうし》しそうなくらい寒いという点である。私はこの時、冬山で遭難《そうなん》したわけでもないのに「ここで寝たら凍死する」と危機感を覚えたほどだ。これは本当に大事な話で、みなさんも冬に外で寝る時はちゃんと段ボールを敷いて寝るべきである。ただし、寝るのにいい段ボールを探すのはそれなりのコツがいる。段ボールは何せ暖かいのでゴキブリさんもその中に寝ている可能性がある。それなのでなるべく食べ物のカスなどがついていない段ボールがおすすめだ。そしてできたら大きめの段ボールで箱型（自分の身体を覆う形式）につくるのがおすすめである。これは後年、都内の公園のテント村で野宿生活をされているアーティストのいちむらみさこさんから教えてもらったことである。とにかくひと晩であってもコンクリートやアスファルトの上で寝るなら絶対に段ボールを敷いて寝ること。この本でひとつ具体的に役立つ情報があるならばおそらくこの話なので、付《ふ》箋《せん》でもつけておいてくれたら幸いだ。

わかりやすく「悪く」もなれない

そしてもうひとつ。当時の私は今で言うところの新宿の「トー横」のような場所に行くとか、あるいは（私の世代は暴走族全盛期だったのだが）暴走族に入って誰かのバイクの後ろに乗るとかいう気にはなれなかった。私と同世代ですでに故人である元AV女優（今の言葉ならセクシー女優になるのだろうか）の飯島《いいじま》愛の自伝『プラトニック・セックス』（小学館、２００８年）には父親から体罰《たいばつ》をふるわれた際に「絶対、中学生になったら家出する」と枕《まくら》に顔を埋《うず》めて泣き、「中学生の私にとって歌舞伎《かぶき》町のネオンはたまらなく魅力的だった。いつしか暴走族の彼とつきあい始めて、（略）初めて自分の居場所を確認できたのは、自分の家でもなく、バイクの後ろでもなく、どことなく危険な新宿という街だった」と書かれている。おそらく私が家出をしていた頃とほぼ同時期に飯島愛は新宿にいたのだと思うが、私は幸か不幸かネオンを見ても危険を感じるばかりで、「くらくらするほどまぶしく」も魅力的にも感じられなかった。

暴走族という話で言えば、私が中学生の頃は『ホットロード』（紡木《つむぎ》たく著、集英社、１９８６～87年）という暴走族に入った女の子が主人公の漫画が大流行していた。シングルマザーに育てられた主人公の女の子は母親とうまくいかず、心に寂《さび》しさを抱えたまま暴走族に入る。さまざまな出会いと女の子の心象風景がリアルな湘南《しょうなん》の風景とともに描《えが》かれる物語である。ものすごいスピードで走るバイクにタンデム（＝2人乗り）で乗りながら、闇《やみ》を照らすライトを見て「こんなキレイなものはきっと他《ほか》にない」と主人公は独白する。

私の当時住んでいた海沿い（いわゆる湘南地域）では現実においても、暴走族に入る子はとても多かった。だが私はトロい人間なのでそんな死にそうなほどのスピードで走るバイクの後ろに乗ったら絶対振《ふ》り落とされてけがしそうだし（そもそもスピードやけがを怖《こわ》がる時点で暴走族としてアウトである）、先輩《せんぱい》後輩の上下の差がきっちりとある組織的な暴走族グループになじめるとはとても思えなかった。暴走族経験者が日本社会でえらい人になるケースは折々あるが、その理由は「（バイクのスピードを怖がらない）度胸があって上下関係に強いから」だと私は思っている。幸か不幸かその手の度胸ほど私の人生から遠いものはないし、学校の体育会系についていけない人間が暴走族の上下関係についていけはしないだろう。ちなみに2011年に長崎県の五島列島に行った時、公共交通機関がなかったためしかたなくレンタバイク（50ccのスクーター）で島の中を走ったのだが、時速30キロを超《こ》えると怖くてしかたなかった。ほとんど誰も走行していなかったから事故が起きなかったものの、ライダーの素質ゼロな人間に暴走族がつとまるわけがないのである。

どんなに普通に見え、レールの上の人生を問題なく生きているように見えても「子どもらしさ」からズレ、10代になっても従順な「いい生徒」でもなく、わかりやすく「悪い生徒」でもなく、かといって「普通」とも思えない私には家にも学校にも、暴走族の中にも街の中にも居場所はなかった。それがどんなにわがままと言われてもどうしようもなかった。そしてそんなわがままな人間はいなくなったほうがいいという「否定」は、16歳の誕生日の自殺未遂に至るまで静かに私の内側に入っていったのである。

暴力と私

言葉で言い表せないから、暴力をふるっていた

自殺未遂の直後、家にあったウイスキーを飲んで（注：未成年なので当時でももちろん法律違反である）包丁を転がして寝転がっていたのだが、母親が仕事から帰ってきて私を抱きかかえ「お願いだから死なないで」と泣きながら言ったのだった。

自殺未遂および「包丁を床に転がす」「ウイスキーを飲み散らかす」「制服のままで布団《ふとん》の上に倒《たお》れている」といったわざとらしすぎるほどの荒《あ》れた行為。だがこれ

は私にとってようやく肝心《かんじん》の自分を余すところなく表現できた最初の出来事だった。逆に言えばこういうやり方でしか自分を表現できない点が非常に問題だった。

　それこそ**言葉で自分の気持ちを言い表せないからこそ、このような「暴力的」な表現しか浮《う》かばなかった。**自分の感情や気持ちを表す言葉を持っていない、あるいは言葉に絶望している状況でもあった。自殺未遂含《ふく》め、暴力というのは何せ派手だ。ただ静かに話しているだけでは往々にして人は大したことと思わないし、発言を軽《かろ》んじられることのほうが多い。暴力は残念ながら人を動《どう》揺《よう》させるパワーを持つ。それこそいじめられっ子が何かの拍子《ひょうし》で暴力をふるって相手と立場が逆転したり、あるいはずっと息子を殴《なぐ》りつづけた父親に対して体が大きくなった息子が反撃《はんげき》すると父親はおとなしくなったりと、相手を変えるパワーを暴力は持ってしまっている。暴力というやり方はだからこそ依存《いぞん》的になりやすいのだ

ろうと思う。

母親に「死なないで」と言われた時に最初に私が感じたのは「死ねなかった」という残念さ、自分は消えることに失敗したという悲しさだった。そして次に「お願いだから死なないで」と母親を泣かせたことで、自分の中の奇妙《きみょう》なパワーを感じた。あの母親を泣かせたのだ。私はそれまで母の涙《なみだ》というものを一度も見たことがなかった。働いて、愚痴《ぐち》を言って、また働くを繰り返す几帳面《きちょうめん》で口うるさいワーキングマシーンとしか思えなかった母を、この私が泣かせたのだ。そのことにものすごいパワーを感じたのは事実だ。

その後の母は長期休暇《きゅうか》をとり、私と向きあう時間をつくってくれた。しかし私は自殺未遂を境に母親にからむようになった。父親に対しては後述する政治性の違い、あるいはまた彼が「男」であることから、かなり小さい頃から敵愾心《てきがい》を持っていたのですでにかなり反抗《はんこう》的な態度をとっていたが、母に対してはずっと恐れと同情心がないまぜになっていたゆえに従順（なつもり）だったのに、とうとう母親に反抗的、あるいは暴力的なふるまいをするようになったのである。

父に対して「男」という属性であるがゆえに敵愾心を持つ、というのもこれまた残念ながら、父の悪口を言い、その悪い行いを男性性と結びつけて語った母親の教育の賜物《たまもの》でもある。だが、これもまた同じ家で育っても姉はまったく違うので私の資質のひとつでもあるのだろう。母は彼女が自分の兄弟に暴力をふるわれた時の経験、あるいは自分の夫（つまり私の父親）から暴力をふるわれた時の経験について「男は腕力《わんりょく》があるから、女は男にはかなわない」とよく語っていた。男の支配は腕力によって行われると、相当小さい頃から私は母から教えこまれてきたように思う。

確かに大学生になって私は初めてつきあった相手に1回、けんかの末に思いきりベッドに叩《たた》きこまれたことがある。私より背が低い人だったのに、押されて吹《ふ》っ飛んだことに非常に恐怖《きょうふ》を感じた記憶《きおく》がある。それ以降は男子とけんかをする時は拳《けん》銃《じゅう》でも持っていない限り、接近戦はやめようと心に誓《ちか》ったものである。けんかをしないという選択肢《せんたくし》は思いつかなかったのは私らしいと言うべきなのかもしれないが、しかし本来なら「腕力をふるった時点で負けだ」という教育を母じゃなくても誰かに早期に授けてほしかった、とは思う。

感情を言葉にできないことの怖さ

今回、この本を書くのに私が七転八倒《しちてんばっとう》をしている理由のひとつは、この自分の暴力をどう書いたらいいのかわからなかったことにある。自分の暴力について書くというのは、それこそ自分の視点でしかないゆえに自分の暴力を正当化してしまう可能性が高い。そう、私は別に自己正当化をしたいわけではない。**感情を言葉にできず、自分をただただ否定していくことの怖さが伝えられればいい**と思う。少なくとも私に関していえば、言葉によって自分自身や人と向きあい、時に交渉《こうしょう》し、時に自分も人をも変えていくやり方を知らなかったから暴力的なふるまいに及んだのだと思う。自殺（未遂）も私にとっては暴力の表れであると考えている。あるいは暴力と自己表現が同一になってしまうことがひどく厄介な事態なのだ。

　暴力の手応えを知ってしまった私はその後母によく言えば反抗、悪く言えば難癖《なんくせ》をつけ、あるいは母に甘《あま》え、異常なまでに母との距離《きょり》を詰《つ》めていった。母のふとんの中に入りこんで寝たこともあった。こんなことをなぜやっていたのかと言えば、物心つかない小さい頃、ずっと自分が大人にとっては「抱かせてくれない子ども」「甘えてくれない子ども」であったと文句を言われつづけたことへの「復讐《ふくしゅう》」だと思っていたのだ。そんなに私を抱っこしたり、私に甘えてもらったりしたかったのなら、甘えてあげようかといった具合である。そして母親のパーソナルスペース[※5]に侵入《しんにゅう》し、動揺させようとした。私に「生きてほしい」と語った母親に対して、それなら私に向きあう気が本当にあるのかといわば「試し行動（＝問題のある行動を起こすことで、相手が自分をどこまで受けとめるかを「試す」行動)」をしていたとも言えるし、母親に対してプライバシーを侵害することで動揺させたかったとも言える。またある時はそれだけではなく、いさかいの果てに私は母を座っている椅子《いす》ごと押して倒《たお》したのである。母親にけがはなかったものの、その身体の軽さに正直ギョッとした。でもギョッとしたと同時に自殺未遂した時と同様、「相手を動かすことができる」という手応えを感じてもいた。母はその時「自分が死ぬのはいいが、娘《むすめ》を犯罪者にさせるのはまずい」と思ったらしい。

とにかくそれまでは自分がいけないのだから、母の話をなるべく聞こうとがんばってきた。しかし、自分がいけない、自分は悪いということを表現する極《きわ》みとしての自殺を、私を否定してきたほかならぬ母が阻止《そし》するのなら、母が私を否定してきたことへの怒《いか》りを伝えなければ生きていけないと思った。しかし私は怒りを伝えるやり方を暴力以外知らなかった。考えてみれば自分を否定するやり方も結局自殺しか思いつかなかったわけで、私は感情を言葉にするやり方をまるで教わっていなかった。

考えてみれば、ジュリーをじとっと触手が這うように恥ずかしい視線で見ていたというのも、私がそれこそ子ども(園児!)で身体的にも精神的にも無力な立場だからこそ問題視されなかったわけだが、自分の中にそういう恥ずかしい、気持ち悪い衝動があったことは否定できない。とはいえその衝動を認めることと、その衝動を人にぶつけることはまったく別の次元である。私はダンゴムシのように、怖いことがあったら逃げだしたかったし、土の中に隠れたかったし、つらかったら丸くなってやりすごして静かにしていたかったはずなのに、むしろエロ漫画の中に出てくる「触手」のような暴力的なことをしていたのであった。内側に入りこんだ否定が、方向を変えればそれは非常にわかりやすい暴力になるのだった。

＊5　「パーソナルスペース」とは、個人をとり囲む空間のこと。親密な間柄《あいだがら》ではない人間がパーソナルスペースの内側に入ると不快に感じたり落ち着かなくなったりする。またこの空間を大切にすることが、相手を尊重することにもつながる。

4章 ……まま、生きてます。

私たちは人生に対し無力であり、思いどおりに生きていけなくなっていたことを認めた。

——アルコホーリクス・アノニマスのステップ1の一部を改変

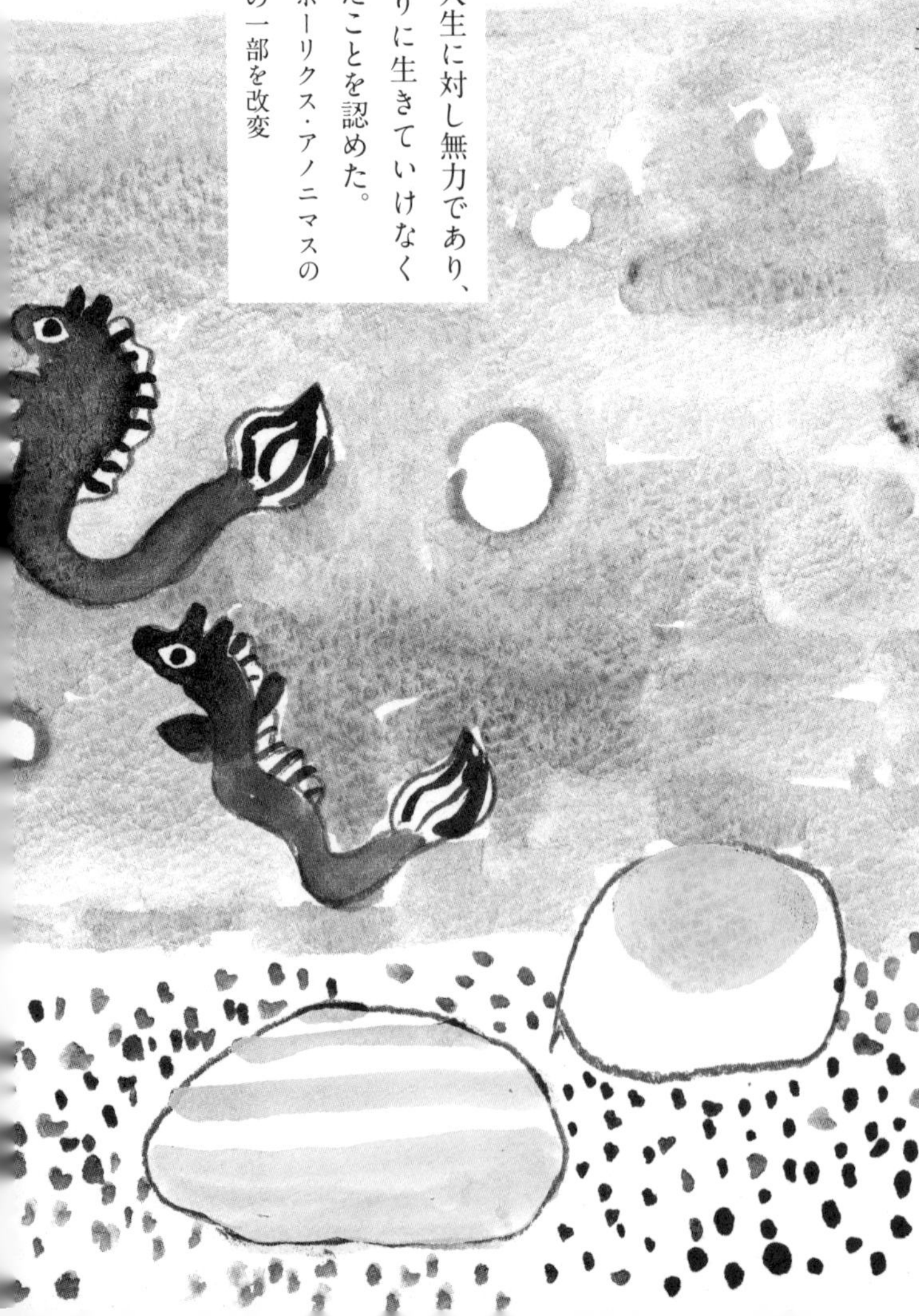

ひょんなきっかけからカトリックの修道院とそこに住む修道女《シスター》に出会った。
自殺未遂《みすい》ののち、不登校している最中に出会っていくさまざまなこと。
キリスト教と出会い、映画館やがら空きの女性センターの図書館に通いだし、
さらにそこから「フェミニズム」という思想に出会っていく。

家や学校に存在しなかった「言葉」「信仰《しんこう》」「価値観」「思想」
そして「学び」に出会う中で見えてきた風景と世界について触《ふ》れていく。

持って生まれたフェミニズム

がらんとした「かながわ女性センター」と山川菊栄《きくえ》、そしてフェミニズムに出会う

私は10代の頃《ころ》、常に学校や家以外の場所を探し求めていたと思う。だから不登校中でも家以外の場所に滞在《たいざい》していたかった（1章でも書いたように1980年代当時は不登校は「登校拒否《きょひ》」と呼ばれていたが、ここではわかりやすくするため「不登校」と表記する）。

いや、不登校をしていたからこそ「家」だけに閉じこめられたくなかった。

平日の昼間、高校生くらいの子どもにとって近所などは歩きづらい。それこそ不登校をしてまわりからどう思われ、何を言われるかわからない恐怖《きょうふ》や不安は私もわかるつもりだ。だからもちろん家から出られなくなる人を責める気持ちはまったくない。だが、当時の私自身としては、ここで家にこもればいかにも不登校らしいと感じてしまい、この不登校らしさにもまた抵抗《ていこう》したくなった。家にばかりいるとただでさえ多い母とのけんか——最悪の場合私が暴力をふるうことになるのも嫌《いや》だった。ためこんでいたお年玉やおこづかいをはたいて映画館に通ってもいた。

ちなみに私が平日の昼間に映画館に行くと、かつての同級生のお母さんがチケッ

トのもぎり（＝チケットの半券を切る作業のこと）をしていた。そのお母さんに笑顔でご挨《あい》拶《さつ》するのも、「不登校らしさ」への抵抗みたいなものだった。とはいえ10代の経済力には限りがあり、できるだけお金がかからない場所に行きたいのもまた事実だった。当時の母は私のことを理解しようと江《え》ノ島《しま》の中にあった「かながわ女性センター」＊1（以下「女性センター」と表記）の心理学や教育学などの講座を受けていた。「登校拒否」あるいは「学校恐怖症《しょう》」と呼ばれていた頃は、登校拒否は特殊《とくしゅ》な母子関係の中で生じる病理的な問題と捉《とら》える人が多かったが、1980年代後半からは学校教育の問題、いわば社会問題として捉え返された時代だった。それこそ玉石混交《ぎょくせきこんこう》、さまざまな教育論が飛び交《か》っていた時代でもある。そんなある日母が、女性センターの中に図書館があり、学校の宿題などを持ちこんではならず図書館の本以外は読んではいけない（！）という規則によりほとんど誰《だれ》も利用せず常にがらんとしているので、「時間があったら行ってみたらいい」と私に教えてくれたのだ。

　当然時間は山のようにあったし、不登校をして宿題もない我が身にはまさにうってつけの場所だと思い、足を運んだ。江ノ島への橋を渡《わた》りきったら左に曲がり、屋台や定食屋が並ぶ道をまっすぐ行くと、広い敷地《しきち》に大きな建物があり女性センターだとすぐにわかった。

当時から江ノ島は観光地ではあったものの、今よりも閑散《かんさん》としていた。さらに当時は捨てられてしまった猫《ねこ》たちがどんどん繁殖《はんしょく》して人間よりも猫のほうが多いのではと思う事態になっており、女性センターの敷地内でも猫たちが思い思いに歩いていた。

女性センターの図書館も実に閑散としていた。その閑散とした空間で椅子《いす》に腰《こし》かけしばしばぼーっと景色を見ていた。江ノ島の中にあるだけあって窓からは海も見えてなかなかに景色のいい場所だった。

そして本棚《ほんだな》に並んだ本の背表紙などチラチラと見ると「女性センター」というだけあって、作家もまた伝記などでとりあげられている人も「女性」ばかりだった。このような本の並びは当時の私にはとても新鮮《しんせん》に思えた。

また、この図書館では「書庫」にも自由に入ることができた。普通《ふつう》は図書館の書

＊1　「1982年（昭和57年）、全国に先駆《さきが》けて、女性の自立と社会参加を促進《そくしん》するための施設《しせつ》として設立」（藤沢《ふじさわ》市発行『かがやけ地球　男女が共に生きる情報紙』2012年秋号から引用）。神奈川県藤沢市の江ノ島の中にあり近隣《きんりん》の市民・住民に愛されてきた施設だったが、海に近いことから塩害などによる建物の老朽《ろうきゅう》化を理由に2015年3月に閉館。

庫といえば司書の人しか入れないようなイメージがあるが、女性センターでは実に自由に書庫を行き来することができた。

書庫にはいろいろな本があったのだが、その一角にはやたら古い書籍《しょせき》が並び、しかもその中のかなりの数が英語で書かれた本だった。そこにはたった1枚「山川菊《きく》栄《え》文庫[*2]」とだけ記された紙が貼《は》ってあった。

その後私は通信制高校に進学して山川菊栄の『わが住む村』についてレポートを書く課題を通して彼女《かのじょ》の思想を知った。そして大学に進学して彼女の本を読んで影《えい》響《きょう》を受け、さらには山川菊栄についてのドキュメンタリー映画『姉妹よ、まずかく疑うことを習え』（山上千恵子《やまがみちえこ》監督《かんとく》、2011年。この映画のタイトルは山川菊栄自身の言葉）に現在の日本の労働運動にかかわる人間として出演する運命が私を待ち受けているわけだが、この頃の私はそんな未来を知る由《よし》もない。ただただこの人物は何者なのかと不思議に思っていた。

また女性センターは図書館だけではなくロビーにもふんだんに椅子があり、ここでも私はよくぼーっと座っていた。ロビーには何枚もチラシが置いてあり、その1枚を何気なく手にとると「フェミニズム連続講座」と書いてあった。しかも予約をすれば誰でも参加でき、無料だった。「フェミニズム」とは何かをほとんど知らなかった私だが、「とにかく暇《ひま》」というそれだけの理由でそのまま受付に行って予約をとり、ほとんど何も考えず講座に足を運んだ。

当日の会場はいわゆる主婦とおぼしき人たちが席を占《し》めており、10代の女性などどこをどう見ても私ひとりだった。しかしそんなことを気にするようでは『不登校らしさ』に反抗《はんこう》できないとばかりに部屋に入った。しかも最前列の席しか空いてなかったため、そこに勢いよく腰を下ろした。

フェミニズム連続講座の第1回は概論《がいろん》ということで江原由美子《えはらゆみこ》さん*3という学者が登場した。「父も母も外で働いているのになぜ母が家事もやるのか」という当時の私が抱《かか》えていた疑問を江原さんは「性別役割分業」という言葉を使って、これがいかに社会的な問題であるかについて語ってくれた。

*2 山川菊栄（1890年~1980年）は「近代日本が生んだ女性解放思想家・社会主義者の第一人者」であり「敗戦後の婦人少年局長時代の四年近くを除き、終始在野《ざいや》にあって、体制批判、資本主義批判の筆を振《ふ》るった評論家・運動家」である。戦前のフェミニストで第二次世界大戦の際に戦争協力を行わなかった稀有《けう》な存在でもある。（以上、「　」内は山川菊栄著『おんな二代の記』〔岩波文庫〕に収録された鈴木裕子《すずきゆうこ》の解説より引用）

*3 社会学者。日本のフェミニズムの論客として長年フェミニズム理論の構築に努めてきた。

私の問題意識はズレてなかった！　すごく大きな社会問題だった‼

この出来事を通して私は自分を「フェミニスト」だと確信した。フェミニストの知り合いもなく、フェミニストの活動グループも知らず、フェミニズムを学問的に知ったのはその時が初めてだったけれど、どう考えても自分は「フェミニスト」だと思った。

おもしろいことに、フェミニズムと、これからお伝えするキリスト教を私はほぼ同時期に知ったのである。その2つの信仰《しんこう》、あるいは確信は今なお私の軸《じく》となっている。

私にとってのフェミニズム――社会の制度や構造を変えたい

自分の感情、自分の考え、自分が何をしたいかを表す「言葉」が出てこない、いわば自分の言葉がないという話をずっと続けてきたが、考えてみれば言葉がないと感じてあたりまえだったのかもしれない。持って生まれた思想の傾向《けいこう》は明らかにフェミニズムだったが、そんなフェミニズムが語るような言葉を私の周囲の誰ひとり語ってなかったのだから、自分の思いを語る言葉が見つからなくて当然だったと思う。

しかし「フェミニズム」という言葉を初めて目にする人も多いだろうから、それこそまずはフェミニズムとは何かという話をしなければいけないのだろう。だがフェミニズムについてくわしく話すとしたら、それだけで1冊の本ができあがってしまう。この本ではこれが「正解」といったフェミニズムの定義は語らない。ただその後現在に至るまで女性の労働問題や、貧困の問題などについてとりくんできた私にとってのフェミニズムについて話したい。

私にとってのフェミニズムは、

『『家事は女がするもの』『男は働いてこそ一人前』『リーダーは男性がするべき』『女性は男性のサポートをするべき』といった性別による決めつけや偏見《へんけん》を疑い、さらにそのような決めつけや偏見を強化する社会制度や社会構造を変える思想と行動」である。

こう書くと難しそうだが、「女だから」とか「女のくせに」あるいは「男だから」「男のくせに」というものをひとつひとつシンプルに疑うことがフェミニズムの第一歩である。

また「社会構造」とは難しい言葉だが、制度と個人の関係、あるいは制度同士の関係と言えばわかりやすくなるだろうか。

ここから少し難しい話になる。社会構造についてはあとで理解すればいいや、と思う方は、125ページの「正直であること・疑問を持つこと」まで飛ばしてくれて構わない。ここからしばらくは、子どもの立場にも深いかかわりはあるが、大人と呼ばれる年齢《ねんれい》になると直面させられる制度の話だ。

個々人の人生における選択《せんたく》は、制度に大きく影響されている

まず、今の日本の結婚《けっこん》制度と戸籍《こせき》制度は深い関係がある。今の日本では夫婦は同じ戸籍に入り、同じ苗字《みょうじ》（＝同姓《どうせい》）でなければならない。なお、いま「夫婦」と書いたが、2023年現在同性婚は日本では認められておらず、あくまで「男女」の組み合わせでなければ夫婦としては承認されない。そして夫婦関係では同じ姓でなければならないが、男性の姓を女性が名乗らなければならないとは法律には書いていない。しかし2022年時点では結婚して姓を変える95％は女性である。

そもそもどちらかが絶対に姓を変えなければならないことそのものがおかしいと考え「夫婦別姓」の選択《せんたく》を設けようという働きかけもある。*4 この働きかけは私が10代の頃から存在していたのだが、このような選択ができないのが現状である。

また、結婚制度は実は税制度とも関係が深い。

2023年現在、日本では結婚をして配偶《はいぐう》者の給与《きゅうよ》収入が年間103万円以下で

あれば「配偶者控除《こうじょ》」という税額控除（＝納税額が安くなる）が受けられるのだ。

さらに結婚制度は年金制度とも深くかかわっている。

結婚をした相手がいわゆる会社員や公務員などの「第2号国民年金被保険者《ひ》」であれば、その配偶者である人は年収が130万円未満であればほぼ自動的に「第3号国民年金被保険者」となることができ、毎月年金保険料を払う必要がなくなる。

そしてこれらの2つの制度によって、会社員や公務員の配偶者であることが多い30〜50代の女性の年収は低く抑《おさ》えられ、かつパートやアルバイト、派遣《はけん》労働といった「非正規労働」につく率が高いと言われている。

先ほどの姓の話同様、「女性の給与収入は年間103万円以下に抑えなければいけない」とか「男性が第2号被保険者で女性が第3号被保険者でなければいけない」などと法律に定められているわけではない。しかし現実として、日本では30〜50代の女性の年収が低くなり、かつ非正規労働者の割合が増加する。これは男性とは正

＊4　『『名字変えたくない』とぼそぼそ呟《つぶや》きながら選択的夫婦別姓法制化のために行動」している選択的夫婦同姓別姓制度を願う香川県民の会、通称「ぼそぼその会」というグループがある。この会は拙著《せっちょ》（＝自分の本のこと）『ぼそぼそ声のフェミニズム』（作品社、2019年）の「ぼそぼそ」から名前をつけてくださったと知り、とても感激した。

反対の状況である。

このような年金制度をつくるにあたっては「標準世帯モデル」というものが想定されたのだが、それは「夫婦と子供2人の4人で構成される世帯のうち、有業者が世帯主1人だけの世帯に限定したもの」(総務省統計局)であり、この「有業者」が男性であることはいまだに常識のようになってしまっているのが日本の現実である。

これらの制度、あるいは制度同士の関係についてよく知らなければ、姓を変えることもパート労働も個々の女性が自発的にその選択をしたとみなされる。それこそ姓などは正社員の夫よりも自分が変えたほうが楽かもしれないと考える方もいるだろう。個々人の考えを否定する気はないし、第2号被保険者と第3号被保険者のどちらがいいかなどという話をする気はない。また「女性も男性と同じくらい働くべきだ」と言うつもりもない。私自身がそもそも賃労働はそれほど得意な人間でもないし、個々人の人生にはそれぞれ事情というものがあって「働け」だの「働くな」だのと他人が軽々しく言えるものではないからだ。

ただ**個々人の自発的な選択と考えられていることが、実際は驚《おどろ》くほどに制度に影響されることが多い**のだと、まずは知ってもらいたい。

現代では「恋愛《れんあい》」や「愛情」の有無が結婚において重視されるが、実は年金や税金制度とも深く結びつき、職業や自分の名前（姓）の決定に大きな影響を与《あた》えるのが「結婚」という「制度」なのである。

そういう社会構造に疑問を持つこと、あるいは変えること。それが私のフェミニズムだ。

正直であること・疑問を持つこと

「疑問を持っていい」と肩《かた》をたたいてくれる思想

私にとってはフェミニズムは「疑問を持っていい」と肩《かた》をたたいてくれるような思想だ。「男は仕事・女は家庭」といった（少々古びてきたと言いたいが、いまだに日本では現役の）「性別役割分業」にも疑問を抱《いだ》いていいと教えてくれたのはフェミニズムだし、何より「男性から評価される」ことを人生の優先順位の上位に考えなくていい、まあざっくり言って「モテなくても別にいい」と教えてくれたのが私にとってのフェミニズムである。フェミニズムを日本語に訳すのは難しいが、ざっくり言えば「女性解放思想 Women's Liberation」を軸とした思想と言っていい。何から解放するかと言えば「女だから◯◯すべき」という抑圧《よくあつ》からの解放をうながしてくれる。いわば「女らしさ」を疑う視点を与えてくれたのである。

「正直であること」「疑問を持っていいこと」。この2つの考え、あるいは「言葉」を知って私は息を吹《ふ》き返した。それは同時に日本社会の中で「普通の大人になること」とは違《ちが》うありようを示してもくれた。

ただこれは何度も言うがあくまで私にとってのフェミニズムである。のちほどカトリック教会を含《ふく》む宗教の犯してきた害悪についても触《ふ》れるが、フェミニズムも決して無垢《むく》なものではない。

市川房枝《いちかわふさえ》＊5や平塚《ひらつか》らいてう＊6など日本の戦前のフェミニスト（＝女性の選挙権や学習権などの権利を求めた人々）は第二次世界大戦時には体制側に立ち戦時協力をおこなっていた。またトランスジェンダー女性に対して偏見や差別を持つシス女性（＝出生時に割りあてられた性別のまま、女性として生きる人）のフェミニストもいるのが現実である。

キリスト教は、人間はそれこそ神ではないからこそ相手の何もかもを受けとめることはできないのだという人間の「限界」を教えてくれたが、フェミニズムもまた、私の母もひとりの人間であり女性なのだ、と私に教えてくれた思想だ。言ってみれば子どもの頃の私は大人を神だと思い、大人である母を神のように思っていたが、真の意味で「母もまたひとりの女性」なのである。

私の母は家事も仕事もひとりで背負って大変だったのに、なぜ父にはそのいらだちをぶつけず、私に愚痴《ぐち》ってしまったのか。その意味がフェミニズムを知ることで見えてきた。「女性はフルタイムで家事をするべき」「女性は働いている男性をサポートするべき」といった日本の社会通念が我が母の中にまさに息づいていたのだ。

疑いを持つことに意味がある

ともあれ、私は、**「疑いを持つ」ことに意味がある**と強調したい。「疑いを持つ」ことは個々の相手、および社会に対してパワーを持つことでもあり、また危険なことでもある。

疑いを持つようにすると理屈《りくつ》もなく誰かに従順になったり、支配されたりしにくくなる。これは「パワー」と言えるだろう。

＊5（1893年〜1981年）戦前から活躍《かつやく》してきた女性解放論者のひとり。戦後は国会議員を長く務めた。

＊6（1886年〜1971年）女性解放論者のひとり。1911年に創刊した女性文芸雑誌『青鞜《せいとう》』の「元始、女性は実に太陽であった。真正の人であった。今、女性は月である。他に依《よ》って生き、他の光によって輝《かがや》く、病人のような蒼白《あおじろ》い顔の月である」という宣言が有名。

だが同時に自分の生活の流れは確実に遅《おそ》くなる、あるいはストップする。これは「危険」だ。

たとえば家や学校で大人から「早く、きちんとやれ」と指示されることが多いだろう。たいていの生活は考えるより前に習慣として体が動くことで成り立っている。ひとつひとつの行動が適切かどうかなどと考えていたら早く動くことはできない。ある行動に疑問を持ったらその時点でその身体はストップする。スピードと正確性を同時に求められる今の社会で「疑問を持つ」ことは、つつがなく平穏《へいおん》に暮らしたければ基本的に「危険」なのである。

しかし疑問を持たないからこそ、大きな問題になっていくことも多々ある。

たとえばセクシュアルハラスメントや家庭内の暴力は、かつては「あたりまえ」とされてきたことが多い。昭和の高度成長期の映画などを見てもうかがえるが、[*7]今なら明らかにセクハラにあたる行為《こうい》でも「あたりまえ」で問題視されない時代が長かった。また2章でも語ったように学校での体《たい》罰《ばつ》はあたりまえにあった。しかも「ケツバット」とか「ビンタ」といった、体罰が

どこか軽く聞こえるような言葉で言われていた。

「いじめ」は今も学校に存在しているが、私の子ども時代もいじめの問題は起きていたにもかかわらず「いじめは問題である」という意識そのものが学校関係者も親も薄《うす》かった。それと同様に「男性らしさ」「女性らしさ」も、今よりももっと「あたりまえ」とみなされていたのが１９８０年代であった。そんな時代に、

「父も母も外で働いているのになぜ母が家事もやるのか」

という問いが浮《う》かんでしまった時点でかなり私は「フェミニスト」だったと思う。だが、このような疑問を誰かに教わった覚えはない。ただただ頭に浮かんでしまったのだ。

「夫のほうがより多く稼《かせ》いでいるから家事をしないいんじゃない?」と、もし誰かにつっこまれたとしたら、

＊7　たとえば松竹映画『男はつらいよ』の第1作（１９６９年）では、主人公の寅《とら》さんは数十年ぶりに再会した妹であるさくらに会ってまもないうちに平手打ちを食らわせる。またサラリーマンを描《えが》いた東宝のコメディ映画「『社長』シリーズ」（１９５６〜70年）では、森繁久弥《もりしげひさや》演じる浮気《うわき》者の社長が職場の女性のお尻《しり》を平気で触《さわ》る描写《びょうしゃ》がある。当時許されていたことがおかしいのだが、どちらも今ではちょっと信じがたい光景である。

「うちの母親の給与《きゅうよ》で家のローンを払《はら》っているのだから、給与の必要性としては対等なはずだ」と母親に頼まれもしていないのに口答えしただろう。

さらにもうひとつ。私は気がつけば左翼《さよく》とかリベラルとか呼ばれる思想を持っていた。少なくともまったく保守ではなかった。*8 誰の影響なのか、なぜそうなったのかはさっぱりわからないが、そのような自分の思想の傾向をはっきり意識させられる時がある日訪《おとず》れた。

1989年1月7日の大げんか

1989年1月7日。

さて、これが何の日かみなさまおわかりだろうか。

即答《そくとう》できる人はたぶん私より年上の人が多いはずだ。私より若くてこの日が何の日かすぐわかる人は日本の現代史に強いか、（イマドキのネットスラングで言えば）「思想が強い」かどちらかだろう。

ズバリ昭和天皇と呼ばれた人物、裕仁《ひろひと》の死去した日である。この日「天皇陛下　崩《ほう》御《ぎょ》」という号外が出た記憶《きおく》がある。私はこの日をよく覚えている。なぜならこの人物の死去をめぐって父親と大げんかしたからだ。

「崩御」のニュースが流れてからテレビからは一切のバラエティや歌舞音曲《かぶおんぎょく》やスポーツ番組が消え去り、ひたすら彼《かれ》の死去を告げるニュースと追悼《ついとう》番組に切り替《か》わった。

そもそも彼が亡《な》くなる数か月くらい前から、その容体が「下血《げけつ》の量◯◯ml」といった具合に毎日報道されていたのである。たぶん私が「下血」という言葉を知ったのはこの報道がきっかけだ。近年の出来事にたとえるならあたかも新型コロナウイルス（COVID-19）の感染者数を報道するように、毎日一個人の下血量が報じられていたのである。新型コロナの感染者数の報道なら意味はあるが、特定の個人の下血量を毎日知らせる意味がいまだにわからない。これだけでも信じられない話だが、この日を迎《むか》えて突然《とつぜん》テレビが真っ白になった――そんな印象を私は受けた。

ちなみにNHKの教育テレビだけは通常の内容を流していたが、ほかの局ではと

＊8　「左翼」（および「左派」）とは自明とされている伝統や価値観、またそれに基づいた制度を疑問視し、時に変えようとする立場である。日本では天皇制に対して疑問を抱《いだ》き反対するのが左派の基本姿勢であったと言える。「リベラル」とは「自由・平等」といった近代の思想を重視し、個人の人権を守ろうとする思想である。「保守」とは社会の既存《きぞん》の制度や構造をよしとし維持《いじ》する立場である。たとえば結婚後の姓について夫婦同姓を維持すべきという発想は保守的であり、夫婦別姓を選択できるように変えようとする立場は左翼や左派的、あるいは個々人の自由を重視する点でリベラルと言えるだろう。

にかく彼の死去のニュースばかりが流れていた。業《ごう》を煮《に》やした私がＮＨＫ－ＦＭのラジオを聞こうとしたら今度はクラシック音楽が延々と流れていて愕然《がくぜん》とした。ＮＨＫの教育テレビが通常どおりの内容だった理由は亡くなった天皇は生物学者であり科学を大事にしていたかららしい。しかし第二次世界大戦での戦争責任を天皇がきちんととったのかどうかという過去の歴史、政治、法律、社会制度といった「社会科学」の観点の問いは無視するメディアの態度は、「科学」というものを大事にしていたとは私には思えない。ＮＨＫ－ＦＭが延々とクラシックを流していた理由は今もよくわからない。

余談だが「科学」というと自然科学ばかり思いつく人もいるだろうが、「科学（英語でいうScience）は理数科目とは限らない。「知」という言葉でScienceを訳す人もいる。日本語でも法学や経済学などを一括《いっかつ》して「社会科学」と呼ぶ場合もある。また「崩御」という言葉は、池田理代子作の漫画《まんが》『ベルサイユのばら』で18世紀のフランス王ルイ15世が亡くなった時に使われたことでしか当時の私は知らず、まさか本当に現実に、この時代（１９８０年代）に使う言葉なのかと驚いた記憶もある。

さて、私はその日まで、こんな状況《じょうきょう》はおかしいと自分の家族みんなが思っていると信じこんでいた。それなので、ごくあたりまえのこととして

「こんなに、どの局も崩御のニュースばっかりでバラエティも音楽番組も急に消えるなんておかしくない？」

と父親に言ったところ、思いっきり父親にこう断言されたのである。

「ニホンジンナンダカラアタリマエ」

「日本人なんだからあたりまえ」

と頭の中で言葉を変換《へんかん》するのに数秒かかった。

ええ？　えええ？？

こんなこと言う人が自分の家族なの？？　とマジで驚いた瞬間だった。親子といっても違う人格であるとはまさにこのことだと腑《ふ》に落ちた。

これを読んでいる方の中にも、この件に関して父と同様、

「日本人なんだから、天皇が亡くなったらテレビでバラエティなんて放送しないのはあたりまえ」

と思う人もいるかもしれない。

今なら共感はしなくともそういう意見が存在しているのはわかる。というか当時でも家族以外だったら理解していたと思う。それこそ自分と一緒《いっしょ》に住む身近な父親をついつい「家族だから」と自分と同一視してしまったことは否定できない。しか

もふだんはまったく政治の話もせず、私にもそんな話題は振《ふ》ってこなかった。そんな父親が、急になぜ私に対してこんな政治的なことを断言できるのかと本当に驚いたのである。

「思想」や「政治性」がほとんど性格に等しい

このエピソードで何が言いたいかといえば、私は物心ついて以来、気がつけば日本の天皇制に疑問を持ってしまうような人間だったということである。生まれもってのフェミニストであり、いわゆる左派としか言いようがない。

世の中で「思想」とか「政治性」とみなされるものは私にとってほとんど性格に等しいものとして身に備わっていた。特にフェミニズムについてはなぜ性別役割分業がおかしいと感じるようになったかは本当によくわからないので、思想が限りなく性格に近いとしか言いようがない。左派になった理由としてはたとえば１９８０年に広島平和記念資料館の展示物が実家近くの公民館に運ばれたものを見た経験だとか、あるいは原爆《げんばく》の悲惨《ひさん》さのみならず昭和天皇の戦争責任をも描《えが》いた中沢啓治《なかざわけいじ》の漫画『はだしのゲン』を学校で読んでいたことがあったかもしれない。でも広島平和記念資料館に保管されている原爆の写真やその他資料を見たり、あるいは『はだしのゲン』を読んだからといって、天皇制に対して「絶対におかしい」と感じるようになるとは限らない。あるいは天皇制がおかしいと感じていたにしても裕仁（昭和天皇）が亡くなった時に、その違和《いわ》感を親に言いだす子どもになるとは限らない。そう考えると思想がどう形成されるのかという話はとても複雑だ。

でもそのような思想や政治性の傾向を自分が持っていたのは明らかだったが、それを具体的な現実の中でどう行動に移していったらいいかさっぱりわからなかったし、そういうことを語る相手もいなかった。そしてうっかり言葉にしたら大げんかになるので、それ以降私は家では政治について語ることを控《ひか》えるようになった。

政治の話のしづらさ

自分の生き様《ざま》をゆるがすような信念や、思想、政治的な言葉はそれを交《か》わす相手や場所がなければ自分が納得し、人に伝えられるような言葉にならない。しかしそれこそ「昭和天皇崩御」時の大げんか以後私が家の中で政治について話すのを控えるようになったくらい、政治や思想の話はしづらい。同級生が『別冊マーガレット』の漫画の話やアイドルの話をしている最中に「うちの母親は仕事も家事もやっているんだけど、それっておかしすぎない？」などと切りだすのは勇気というか、周囲の空気など読むものかという気合いがなければできない。政治や思想について語っていいというその場の前提がなければなかなか話しづらい。

「間奏曲」で触れた「内申書裁判《ないしん》」の例（68ページ参照）でもわかるように日本では、政治について学校では話しづらい事態になっている。学校のみならず日常生活のほかの場面でも政治の話題は日本では話しづらい。

それはほかの国に行くとはっきりとわかる。たとえば2016年、アメリカのロサンゼルスで労働運動の集まりに参加した時のことだ。労働組合の女性たちと現地のタクシーに乗った時、その労働組合の女性が運転手の女性に、「私たちは労働組合の集まりで出会った仲間だ」と話しかけた。私はいきなりそんなことを運転手に話しかけて、どんなことになってしまうのかとドキドキしたが、女性の運転手はお世辞でもなく「それはいいね」と返事をし、実になごやかな会話が交わされたのである。その時につくづく、そしてはっきりと日本の社会では政治的な話をする際に圧力が存在することを私は感じたのだった。

もちろん、日本でも芸能人を含め公的に政治的なことを語ろうとしている人たちはいる。だが先日ある俳優が政治について語っていたという噂《うわさ》に対して「事実無根」であると所属事務所が表明したという報道を聞き、ひどく驚いた。でっちあげの記事だったから「事実無根」と声明を出したというが、それならばこのような話はしていない、ともっとシンプルな言い方もあるはずだ。「事実無根」とまでシャットアウトする態度のどこかに、政治を語ることそのものが悪いことという日本社会の価値観が見え隠《かく》れしているように思えてならない。

そんな日本の状況で政治的なことを語るのは、家か学校、あるいは家か職場しか所属がない人間にとってはとても困難なことである。それはいま語ったように日本社会では政治を語ることに対する圧力があるというのが大きな理由のひとつ。しかしそれだけではない。**政治を語るのにいちばん大事なのは「自分が語っていい」と思えることである。**自分など語るに値《あたい》しないと思っている限り、政治など語っても無駄《むだ》だと自分の内部から言葉を削《けず》られていくのである。

また新聞をいくら読んでも、社会の言葉として学んでも、それはただの「知識」である。いわば自分の内部が震《ふる》えて、救われて、そして自分の行動を変える言葉にはならない。少なくとも私はそうだった。誰か（それが私にとっては目に見えぬ「神」となったことは後述する）と話して落としこんでようやく自分の言葉になり、行動が変わっていったのだ。

また、そういう言葉を語る場所とはどこなのかということも小中学校に通っていた頃の私にはまるでイメージできなかった。2024年現在においても、学校で具体的に政治を語るのはそれこそ内申書裁判が示すような、あるいは変なやつと思われるような「リスク」のある行為ではないかと思える。

私にとっての信仰《しんこう》

クッキーと紅茶と修道女《シスター》と

「昭和天皇崩御」から少し過去に遡《さかのぼ》る。1988年の春。私は中学3年生になっていた。高校受験が控えていたが、いま思えばそれが大きな苦労だったという記憶はない。ただ教師と母親と私でおこなった受験に関する三者面談の際に、私は「定時制高校に行きたい」と言ったのだが、まるごとスルーされてしまったことが今も記憶にある。なぜそんなことを言ったのかといえばすでに私は「自分は普通の高校では無理なのではないか」と思っていたのだ。それは学力のせいというのではなく、もうただただ学校でも家でも日々をやり過ごすのに疲《つか》れていて受験に悩《なや》むといった精神状況ではなかったのだ。中学3年生になってからの新しいクラスでは、私と気が合わない、横暴で意地悪な言動をする人たちとも同じクラスとなり元々なじみにくい教室がさらに居心地が悪い場所となってしまったこともある。

そんななか、新学期が始まってまもなくの5月に転校生の女の子がうちのクラスにやってきた。その女の子はアイドルになってもおかしくないくらいかわいい女の子で、転校したての頃は男女問わずクラスメートが彼女をとりまいていたのだが、彼女はそのようなクラスメートとはなぜか親しくなろうとはせず、そのうちクラスメートたちも彼女から距離《きょり》を置いてしまっていた。そうこうするうちに彼女は学校にも来なくなってしまった。

彼女が登校しないようになって数日後、ある同級生が私に「彼女に学校のプリントを届けに行こう」と声をかけてきた。断る理由もないので連れ立って行ったが、その子がそれほど親しくもない私を誘《さそ》ったのはひとりで行くのは心細かったためかもしれない。というのもその同級生についていったところ、到着《とうちゃく》した場所は普通の家ではなく、すごく大きな洋館の修道院だったからだ。なぜかこの同級生は彼女がそこに住んでいるのを知り、プリントを届けるために私を誘ったのである。

ドアが開き登場したのはなんとヴェールを被《かぶ》った修道女《シスター》！　キリスト教徒ではなく、ミッションスクールに行っているわけでもなかった私が、人生で初めて修道女という存在に遭遇《そうぐう》した瞬間《しゅんかん》であった。

さて、洋館の「応接間」にご案内いただき、そこで転校生の彼女とも話したはずだし、シスターたちとも何かを話したはずなのだが、正直まったく記憶にない。ただ紅茶やケーキ、北海道土産《みやげ》でも有名なトラピストクッキーなどをごちそうになったことは鮮明に記憶に残っている。そして「ここに来ればお菓子《かし》がごちそうになれる」と味をしめてしまったのである（基本おいしいものに弱いのである）。その後も学校にはあまり現れることのなかった転校生の女の子にプリントを届けるために修道院に通い、おやつをごちそうになるのが数少ないその頃の楽しみとなったのである。

そこに行く楽しみにはおやつのお菓子ということもあったし、転校生の女の子との会話も楽しかったのだけれど、なんといっても興味深かったのはシスターという存在だった。プロテスタント教会の経営している幼稚《ようち》園に私は通っていたが、牧師さんとはほとんど話をしたことがない。そのままキリスト教にも無縁《むえん》で生きてきたわけだが、ここにきて思いがけない形でシスターという人たちに出会ったわけである。

ハマらないまま生きているシスターたち

とはいえ最初から自分の悩みや苦しみをシスターたちに語ったわけではない。シスターたちもまた私に宗教的な話をいきなりすることはなく、修道院の中にある卓《たっ》球《きゅう》台で私と卓球をしたりといった時間（シスターたちはなかなかに卓球がうまかった）を過ごしていた。

しかし学校と家庭しか自分の存在する場所がなく、しかもどちらにもなじめないと思っていた私には、修道院はそのどちらでもない場所としてとても居心地がよかった。

またなんといっても彼女たちが「独身」であり、女性たちだけで暮らしている姿をこの目で見たというのもインパクトが大きかった。80年代はまだまだ「女性は結婚するのがあたりまえ」という時代でもあったし、未婚率などは今と比較《ひかく》ずればとても低い時代だった。とはいえ私自身は自分が（仮にのちに離婚をするとしても）結婚をするということが腑に落ちないというか、ピンとこなかったので、実際に独身でしかも共同生活をしていてそれなりに経済的な余裕《よゆう》もありそうなシスターたちの生活は非常に興味深く、魅力的《みりょく》に見えた。私はずっと「子どもらしさ」に違和感を持ちつづけ、自分自身が否定されつづけていたことをここまでに述べてきたが、そのような人間にとって、この社会の中で承認されるような「結婚して子どもを持った大人の女性」という存在になることはどうにも想像がつかなかった。だが、シスターになることはまだしも想像ができた。そしてその後30歳《さい》近くまでいつかシスターになりたいと思っていたのである。ちなみにその後の私は実際にシスターになろうとしたもののなり損ねて今があるのだが（その詳細《しょうさい》を知りたい方は、拙著《せっちょ》の『呻《うめ》きから始まる　祈《いの》りと行動に関する24の手紙』（新教出版社、２０２２年）をご覧いただけたらありがたい）、「結婚しなくても生きていける」というイメージは彼女たちから受けとったものだ。

独身の女性とひとくちに言ってもいろいろなタイプがあるが、私がなりたい「独身で生きる女性」のイメージはシスター、つまりは「尼《あま》さん」に結びついている。いわゆる仕事のみに生きる、あるいは自由奔放《ほんぽう》で恋《こい》多き女性であるゆえに結婚しない道を選ぶというのではなく、「尼さん」「シスター」という言葉で想起されるどこか浮世離《うきよばな》れしている感じが好きだったのだ。そのどこか現世からハズれているような、「ハマれないまま生きている」イメージの中心にはシスターの存在があったと言っていい。

ちなみに実際のシスターたちは彼女たちが住んでいる修道院から職場に通い、しっかり教師や看護師、保育士や幼稚園の先生などをしているれっきとしたキャリアウーマンだった。また調理師や栄養士などの免許《めんきょ》を持って、修道院内の台所の仕事を一手に引き受けているシスターもいた。たまたま私が親しくしていたシスターは修道院の院長、あるいはシスターたちの教育といった仕事をしていたため、比較的修道院の中にいただけのことで、別に現世から離れて生きていたわけではないのだが、それを知るのはのちの話である。

当時の私としてはシスターがどんな仕事をして生計を立てているのかよくわからなかったけれど、2章や3章で語ったダンゴムシのような気持ち、いわば社会から遠ざかりたい気持ちや、結婚して妻や母にはなりたくないという願いを具現化した姿に映った。現実のシスターは別に私の理想のような形で社会から遠ざかっていたわけではない。だからこそ私はシスターにならなかったし、なれなかった。

学校でも家でもない居場所を考える際に、私は時として世間的な価値観とは違う場所という意味で「天国」を想定してしまうところがある。サードプレイスとしての天国と言うべきか。そして修道院は天国ではないものの、当時の私にとってサードプレイスとして存在していた。**家や学校の人間関係は確かに人生を左右する部分があるが、だからこそ、それ以外での出会いが私をどれだけ救ったかということはいくら強調してもしすぎることはない**と思う。

宗教2世の問題

私は端的《たんてき》に言えば、キリスト教を信じて救われた。それが私にとっての事実だが、この話をする前にどうしても話さなければいけないことがある。それは私にとってキリスト教は重要なものだが、誰にとっても素晴らしいものであるなどとは口が裂《さ》けても言えないということである。

２０２２年の安倍晋三《あべしんぞう》元首相銃撃《じゅうげき》事件の被告が宗教２世の問題を抱えていたことが発覚し、この問題に焦点《しょうてん》が当たることになったが、私はその点で言えばまるで逆の立場である。私の家はいわゆる「無宗教」である。具体的に言えば父方の墓があるのは山形県の曹洞宗《そうとうしゅう》のお寺だが、生活の中で禅《ぜん》の教えといった話も聞いたことがない。またいわゆるお盆《ぼん》やお正月に帰る実家という場所はなかったため墓参りなどといったお盆行事をしたことがない。

ちなみに10年ほど前に家族旅行で、「父親の行きたい場所」に行こうという話になった際、父親は行き先に「伊勢《いせ》神宮」を選んだ。[*9] さすが天皇好きの選択だと改めて思ったが、一緒に伊勢神宮に行くならどうしても尋《たず》ねなければならないと考え、父親に現地（伊勢神宮）で「どうしてお父さんは天皇や天皇制が好きなの」と聞いた。そしてなんとそこで返ってきた答えは「なんとなく」だった!!　それは私の想像を超える答えだった。

だがその後西行《さいぎょう》という僧侶《そうりょ》が伊勢神宮に参詣《さんけい》した際につくったと言われる短歌「何ごとのおわしますかは知らねども　かたじけなさに涙《なみだ》こぼるる（何がおられるのかはわからないけれども、ただありがたさに涙が流れてくる）」を目にした時、父の感覚はこれに近いのかもしれない、と思った。なんとなくなんだかわからないけれどありがたいと思う気持ち。父がありがたさを感じているのはいいとしても、問題は日本人全員が、天皇に対して涙が流れるような感覚を持つとは限らないという点である。

もし私の家族がキリスト教徒だったとしたら私にとってキリスト教が救いになったかは限りなく疑問である。また、私の家がなんらかの宗教を持っていたとしても、それこそ「不安」や「悩み」、「疑問」について会話し、共有する言葉を持てなければ、おそらく私は真の意味で無宗教になるかまったく違う宗教にハマるかどちらかになっただろう。

*9　伊勢神宮は『古事記』などの神話に描かれた天照大神《あまてらすおおみかみ》を祀《まつ》っている場所だが、これらの神話において天照大神は天皇の祖先であるとされ、今なお天皇の即位《そくい》や退位や結婚などの際は皇族が伊勢神宮の天照大神に「報告」する。また伊勢神宮には『古事記』に描かれた皇位の証《あかし》としての「三種の神《じん》器《ぎ》」のひとつである八咫《やた》の鏡が収められているなど、天皇家と非常に深い関係のある神社である。

あと、キリスト教徒である自分がもし親になった場合はどうしたらいいだろうかと考えたことがある。前述したように私がキリスト教徒になったのは、シスターたちの住む修道院という存在を知って結婚生活よりも修道院に憧《あこが》れたためなのだが、それでももし親になった場合、自分の信仰が子どもに負担をかけるのではないかと考えたのである。それこそ隠れキリシタンじゃないけれど、自分のパートナーには伝えるとしても子どもには内緒にして、母である自分はミサ（礼拝）が行われる毎週日曜の朝はどこかに消える……というライフスタイルを送るべきではないかとも思った。

結局今のところ独身なので家庭内隠れキリシタンになることはなかった。カトリックは幼児洗礼というものがあり、子ども自身の意思とは関係なく親や周囲の大人の意思で洗礼を受けさせることが可能なのだが、宗教2世の問題を考えるとやはりためらいを覚える。洗礼について、人生で初めて神社に参拝するお宮参り（初宮参り《はつみや》）みたいなものだと語る神父もいたけれど、キリスト教の社会的位置づけが神社とは違うからそれはまたなんとも言えない。

友人たちにクリスチャン2世はいるが、親からの影響の度合いは人によってばらばらである。幼児洗礼を受けたことにそれほど抵抗《ていこう》感を覚えない人もいれば、成長したのちに抵抗感を覚えた人もいる。

よく日本人は無宗教だと言うが、天皇制は神話に根ざしており、神道そのものだと言える。またさまざまな新興宗教も日本には存在しており、実は日本社会に宗教は深く影響している。日本の神社系の宗教法人は84206法人、仏教系の法人は76701法人あるという（2022年12月末現在）。ちなみに2023年5月末の時点で日本にあるコンビニ（9チェーン）は57978店で、日本の神社や寺はコンビニの数より多いのである。

ともあれどの宗教を信じるも信じないも「公共の福祉《ふくし》に反しない限り」（憲法13条）は「信教の自由」（憲法20条）としてひとりひとり尊重されるべきである。逆に言えば宗教2世の問題、親がなんらかの宗教や信仰を持っていることで子どもがあらゆる面で人権侵害《しんがい》を受け、不利益を被《こうむ》ることこそ、非常に深刻な問題なのである。

宗教の犯《おか》す暴力や罪

先ほど「日本社会の中で政治のことは話しづらい」と書いたが、もうひとつ話す場所に困る話題といったらこの「宗教」だろう。しかし宗教について知ろうとせず語りもしないと、宗教が犯《おか》しつづけている暴力や害悪に対しても無防備になる可能性が高い。中世の西欧《せいおう》キリスト教徒による十字軍遠征《えんせい》など「聖戦」と称《しょう》して多くの人命が犠牲《ぎせい》になった過去や、また政治的な場面で宗教が利用される現状を理解しにくくなるだろうし、結果的に宗教的な暴力を知らずに加害者の立場に立ったり加害を見すごしたりする危険がある。

宗教の犯した暴力や害悪の話で言えば、私が所属しているカトリック教会はそれこそ私がキリスト教に入信した頃もそれ以後も世界各地で性暴力や性虐待《ぎゃくたい》を神父が起こしてきたし、カナダの先住民に対しては虐殺をおこなっていた。[*10] そしてローマ教皇庁（＝バチカン市国にあるカトリック教会の中央機関）はその問題を隠蔽《いんぺい》していた。またカトリック教会はいまだに司祭には男性しか認めないし、ジェンダー観は至って保守的で、中絶も頑《がん》として認めない。正直、そんな宗教を私は積極的に布教しようとはとても思えない。

だが、それでも私が知った「天」や「神」を伝えるのは無意味とは思えない。スルーしたい人はもちろんスルーで構わないが、この社会の価値観に絶望している人、今の社会の価値観のなかで自分を否定することしか考えられない人の参考になればと思う。

祈《いの》り——包み隠さず話し、静かに聞く

私は自殺未遂《みすい》を図ってから、例のお菓子めあてで通っていた修道院に聖書やキリスト教について学びたいと改めて申し出た。家出や自殺未遂についても話したためシスターは断りにくいと思ったのか、承諾《しょうだく》してくださった。

そのシスターを通して学んだこと、あるいはその後教会で行われていたキリスト教講座で学んだことをひとつひとつ紹介《しょうかい》したい。

まず初めに、神には**喜びや感謝というポジティブな感情のみならず、ほかの人にはそうそう言えない怒《いか》りや憎悪《ぞうお》、嫌悪《けんお》や嫉妬《しっと》も軽蔑《けいべつ》も包み隠さず話していい**ということを知った。そしてその感情を包み隠さず話すことが祈りというものの第一歩だと教えてもらった。そしてそんな自分の感情を語りつくしたのち、神の言葉を聞くための静かな時を持つ——これは自分の枠《わく》、いわば思いこみから抜《ぬ》ける違う視点か

＊10　1830年代から形成され、1996年までカトリック教会が運営していたレジデンススクール（寄宿学校）にカナダの先住民の子どもたちが強制的に入学させられ、その中で虐待や性暴力、そして虐殺がおこなわれていた。2022年にローマ教皇フランシスコがカナダを訪問し謝罪をおこなったが、謝罪の内容が不十分であると先住民の人々からは批判されている。

らの言葉、しかも決して自分をバカにしたり、あざわらったりしない言葉を聞く時間と言ってもいいかもしれない――その静かな時を味わうことにより今まで感じたことのない安らぎを持つということを知った。

またそのような私の怒りや憎悪、嫌悪や嫉妬や軽蔑などなどといったものは神だからこそすべてを受けとめられるのであり、たとえ母であってもすべてを受けとめられないのは別に悪いことではないと知った。私の自殺を阻止《そし》するなら、私のすべてをおまえが受けとめられるのかと暴力を使ってまで母に迫《せま》っていた私だが、徐々《じょじょ》にそのような暴力をふるわなくてもすむようになった。これは結果的ではあるが、私が信仰を持つことで家族も救われた部分があったとも言えるだろう。

感情を表す言葉を知らないからこそ暴力をふるうという話をしたが、祈りの言葉を知ったことで自分に対する暴力や母親に対する暴力が止《や》んだと私個人は思っている。自分の感情をただただ打ち消し否定しようとして自殺を図ったし、「自殺をやめてほしい」と言った母親に暴力をふるったが、怒りも悩みも悲しみの言葉も神に向けることは構わないということを知り、ようやく自他への暴力がストップしたのだ。

それは今の言葉で言えばマインドフルネス[*11]とでもいう状態かもしれないが、祈りは神の存在を本気で信じて、神に向かいあうことである。悲しみや怒りを神にぶつけることそのものが祈りである。違う言い方をすれば祈りは、悲しみや怒りをぶちまけてストレスを発散させる手段ではないのである。

「そんな違いどうでもいいじゃん」という声が聞こえてきそうだが「ストレス発散」といったいわば「現世利益」と「祈り」は違う。実際、包み隠さず神に祈ったところで、現実の悩みが変わらないどころか、宿題を抱えこむような気持ちになる時もある。

世間的な上下関係や価値観に従わなくてもいい

2つめとして**人間は神ではなく、人間に対して神に対するように従う必要がない**ことを知った。そんなのあたりまえと思われるかもしれないが、たとえば学校では先生や先輩《せんぱい》、あるいは気の強い同級生にふりまわされがちだろうし、会社なら上司やいわゆる仕事のできる会社員が牛耳《ぎゅうじ》る世界だ。国家ならば政治家や企業の社長といった人たちに牛耳られがちだ。場合によっては家庭で親が自分を支配しようとす

＊11　「今ここ」の経験や自分の心の状態だけに意識を向けること。過去の思い返しや未来への不安から離れ、ストレスを減らし、集中力を高める効果があるとされている。

ることもあるだろう。

そういう人たちがこの社会でパワーを持っているわけだが、彼らに何がなんでも従う必要はないということを教えてもらったのだ。――なぜなら彼らは神ではないから。彼らは力を持っているし、実際に支配しようと私（たち）に働きかけようとするだろう。だが私が彼らに無条件で従う必要はないのだ。いかに能力や腕力《わんりょく》や社会的地位、あるいは階層に上下があったとしても、彼らは神じゃないという点で、私とのあいだに決定的な上下があるわけではない。


歴史的に言えば、権力を持つ人、あるいは持とうとする人はしばしば自分を「神」と名乗ったり、「神」から力をもらったと語ったりしてきた。[*12] 神から力をもらったゆえに自分はほかの人間より絶対的に上だと示したいからだ。だが、そんな絶対的に上の存在など地上のどこにも存在しないと信じること、それもまた私の信仰だ。

だからこそ私の行動について他人が助言はできても決めることはできない。**「私の行動をおまえが決めるな」**という意味で自己決定は大事な話だ。

でも自分自身も絶対的に優《すぐ》れているわけではないからこそ、自分で自分のことを決めたとしても道徳的に絶対に正しいわけではないし、あるいは自分にとっての利益という点でも完璧《かんぺき》ではない。だからこそ人に話をしたり相談したりすることはありうる。その際ももちろん相談する相手が自分より絶対的に優れているなどという話でもない。あくまでその状況において自分より経験があったり知識があったりするというだけだ。当然自分が誰かから相談を受けたり、誰かをサポートしたりすることはあってもそれは自分が相手より絶対的に上であるからなどというわけではない。そのようなほかの人に対する態度やふるまいも「神」を通して私は知ったと思う。

さらに、キリスト教で言う「天」「天国」とは、日本の世間的な価値観——お金はたくさんあるほうがいい、頭の回転がいいほうがいい、学歴は高いほうがいい、仕事の能力は高いほうがいい、顔はきれいなほうがいい、地方より都会がいい、いわゆる社交的な人好きのする性格のほうが無口で人見知りをする性格よりいいといった価値観——とは違う次元であることを知ったのも大きい。そしてその違う次元が

＊12　第二次世界大戦までの天皇は自らを「現人神《あらひとがみ》」だと名乗っていたし、16~18世紀西欧の絶対主義国家では王は神から王としての権限を渡されているゆえに人々を支配できると考えられていた（これを王権神授説という）。これに対して王や天皇などではなくすべての人に権限があると考えるのがまさに「在民主権」といった考え方である（「国民主権」とも呼ばれるが「国民」と言うと国籍《こくせき》の有無で主権の有無が決まるようにも読めてしまうので「在民主権」という言葉を私は使っている）。

存在すると信じることができたのだ。

どうしても人はお金を持っていたいし、できればそこそこ頭はよくありたいし、仕事ができるほうがいい。顔やスタイルだって整っていたいし、社交的な性格でありたいと願ったりもする。私自身の中にももちろんそういう傾向はある。しかし華《はな》やかな立場や性質であるゆえに神からの愛は与えられるものでもない。私が何者であろうとなかろうと神の愛はまったく別次元に存在している。そういう存在を信じたということが自分の人生の中でとても大きい。

正直、「神」「天」「天国」といったものに関心がなくても、私がいま話したようなことを自然と身につけられる人はいるし、そういう人を私は尊敬する。だが私はシスターが伝えてくれたキリスト教を通して知ったという事実は書いておきたい。

悩みと苦しみが前提にある人生

宗教を信じることは日本ではうさんくさいと考えられることが多いが、少なくとも宗教がうさんくさいことをしつづけてきた歴史は事実だし、私自身もうさんくささを否定はしない（私自身に関して言えば割と暴力的だからこそ、相手からうさんくさく思われていたほうが、結果的に自他ともに安心安全に生きられるというものかもしれない）。

私は、自分が宗教を持っていることを恥《はじ》とも思わないが、誇《ほこ》りとも思わない。ただただ自分が生きていくのに必要なものだったと言える。そして生きていくのには宗教を特に必要としないという人をどこかで私は尊敬している。なぜならわざわざ自分の苦しみや悲しみを人生の「前提」としてその思いをことさら誰かと共有しようとしない点に「強さ」を感じるからだ。

私が中学生の頃、『Ｍｙ Ｂｉｒｔｈｄａｙ』という占《うらな》い・おまじない雑誌にハマったのは不安や悩みが前提として存在する世界が展開されていたからだったが、キリスト教を信仰するようになったのは、それの変形と言っていい。占いは現世利益的に不安や悩みを解消しようとする一方、キリスト教は（私がキリスト教を通して身につけた信仰は）この社会での苦しみや悲しみを「喜ばしい」ものだとして価値観を転倒《てんとう》するが、転倒したといえども悩みや苦しみや暴力がこの世界に存在していることは前提である。そしてそのことを神に正直に語り（祈り）、その苦しみを自分だけのものとせず見えない神と共有していると信じるところに、私の信仰の核《かく》がある。そしてそれは自分だけでは苦しみや悲しみに耐《た》えることも、また暴力的なふるまいからの解放もなし得なかった証拠《しょうこ》とも言える。アンネ・フランクが隠れ家《が》で日記にキティという名前をつけ、友だちと秘密をわかちあうように日記を書いたように、**どんなに**

醜《みにく》い気持ちも衝動《しょうどう》もなるべく神と共有することが私にとっての信仰なのである。

こうやって書くと安らぎを持って生きているように思われてしまうかもしれないが、そういうことでも、ない。いわば死にたいと思うこと、絶望することにこそがんばって生きていくような、そういう感じだ。私にとって悩みと苦しみが前提にあっていい人生は、「あなたの悩みなんて大したことはない」「そんな悩みはぜいたくだ」「もっと苦しい人がいる」と悩みを否定されたり、あるいは「悩みなんか吹き飛ばして明るく生きていきましょう」などと悩みの存在そのものを真《ま》っ向《こう》から打ち消されたりするより断然生きやすいのである。

神の愛を信じることを選んじゃったみたい

アルコール依存《いぞん》に悩む人々の自助グループ「アルコホーリクス・アノニマス（AA）」の人たちが回復の12ステップを歩む1ステップ目は「私たちはアルコールに対し無力であり、思いどおりに生きていけなくなっていたことを認めた」という状態だという。

私の場合は自分の内側に食いこむ否定とそこから生まれる自他ともに向かう暴力に対して「無力であり、思いどおりに生きていけなくなっていたことを認めた」ことから何かが始まったと言っても過言ではない。自分で自分を否定したところで、世間的な価値観で言うところの「いい人間」になれるわけでもない。むしろどうやってもそんな「いい人間」になれないことを認めるところから、神を信じる気持ちが始まるとも言える。またこれはフェミニズム的な視点で言えば「世間的な価値観での『いい人間』になるというのは、いったい誰のため、何のためなのか？　ただ社会にとって都合のいい人間になるにすぎないのではないのか？」と問いかける思想でもある。

ちなみにAAの12のステップの次のステップは「自分を超《こ》えた大きな力が、私たちを健康な心に戻《もど》してくれると信じるようになった」であり、その「大きな力」が私にとっては（しつこいけどあくまで私にとっては！）キリスト教の神という感じだ。このAAの言葉は私にはとてもしっくりくる。アルコールに悩んだことはないが、自分のコントロールができなくなった事態を受け入れることの必要性は痛いほど感じていたのだから。

3章で紹介した『人間失格』にこんなくだりがある。

自分は神にさえ、おびえていました。神の愛は信ぜられず、神の罰だけを信じているのでした。信仰。それは、ただ神の笞《むち》を受けるために、うなだれて審判《しんぱん》の台に向《むか》う事のような気がしているのでした。

（太宰治《だざいおさむ》『人間失格』青空文庫）

信じることは努力や意志の領域ではない。だから太宰《だざい》が神の愛を信じられなくてもいいとか悪いとかの話じゃない。でも太宰は全部自分の中で完結しちゃっている感じがする。どんなにつらくても全部自分で背負うことで人も自分もつらいことになってているような。でも太宰のことをどうこう言うよりも、もっと私は焦点を当てたいものがある。言っちゃえば、私は神の愛をほんのわずかであっても信じることに踏《ふ》みこんじゃったのだ。ごめんね、太宰。バイバイ、太宰。自殺未遂前まであんなに読んでいた太宰治から私はいつの間にか距離を置くようになっていた。

思想にしても宗教にしても完璧なものはない。**信じるということは悪いことは何も見ずほめそやすという意味ではなく、その思想にしても宗教にしても向きあうということだと思う。**また、宗教にしても思想にしてもその時の政治や社会の体制を維持《いじ》する側面と、既存《きぞん》の体制の外に向かう、あるいは体制に抵抗する側面の両面を持っていると言える。完璧に前者に振《ふ》り切ってしまえばその体制が因習的で抑圧的《よくあつ》であっても維持する方向に働いてしまうし、完璧に後者に振り切ってしまえば現実社会に虚《むな》しさを覚えすべてを捨て去ったり、世間を離れて独自のコミュニティをつくったりするだろう。そのバランスが難しいわけだが、宗教や思想が持つ後者の要素に救われた身としては、既存のありようを問い、抵抗の重みとともに生きていきたいと思う。そして抵抗とは何も派手な行為をすることだけではない。

私はあいかわらず死にたくなったりするし、絶望もたびたびしている。ただ素《す》の自分に立ち返ることと、そして疑問を持つことはひとりの立場からでもできる。私ならば神とともに。

ダンゴムシ時々エビになる

生産者・消費者から「分解者」へ

不登校をしたあとのことを最後に少し話したい。

その後通信制高校を出て大学および大学院に進学したものの、学校が嫌いな私は教職だけは絶対にとらなかった。そして氷河期世代（＝バブル経済崩壊《ほうかい》後、1993〜20

05年の不況期に就職活動をしていた世代）で就職がうまくいかなかったりもした。さらに「結婚する」とか「親になる」ということも今のところ「選ばなかった」あるいは「選べなかった」選択肢《し》だ。

自分以外の人が結婚制度を使ったり、さらには親になることに関してどうこう言うつもりはまったくない。だが、結婚している自分、親になる自分について考えるとこれまたどうしてもイメージが浮かばない。♪死んでしまおうなんて悩んだりしーたわ♪と思わず口ずさみたくなるくらい「人生いろいろ」である（『人生いろいろ』島倉千代子歌、中山大三郎《だいざぶろう》作詞、浜口庫之助《はまぐちくらのすけ》作曲）。

独身で、しかもキャリアをめざすでもなく生きる女性——それこそ私の親世代にはほぼありえない生き方だが、どうやら今は一定数いるらしい。考えてみれば「不登校」も私の10代の頃より確実に増えている。そういう意味では私の生き方は今やそれほど少数派ではない。昨今、母は「りゅうちゃんは時代の先端を行っているよね」と言うが、ものは言いようとはまさにこのことである。そんな私が心の糧《かて》にしてきた言葉がある。それはかつて「だめ連[*13]」というグループで活動していた男性が発した「テレビに出ているようなやつの言うことなんて真《ま》に受けないほうがいい。自分たちには役に立たないから」（大意）という言葉である。子どもの頃自分に似た姿を漫画にも本にも見つけられなかった私を力づける言葉だった。今なら流行《はや》りのYouTuberやインフルエンサーに自分を見いだそうなんて絶対に思わないほうがいいよと言うべきだろうか。

私は今のところ独り暮らしである。物書きが主な仕事だが、それだけでは食べていけないので近所の幼稚園でお掃除《そうじ》のアルバイトをしている。

3章でエロスと恥の感覚に揺《ゆ》れる5歳児を描いたわけだが、今の私の仕事場ではその頃の年齢の人たちにたくさん遭遇する。あどけない姿にしか見えない園児のみなさんにもきっといろいろとあるのだろうなあ、としみじみ思う。

また、主な仕事は庭の掃除だが草むしりや時々植物の植え替えなどもやる。先日はコスモスを植えた。頼《たよ》りなげに見えて結構しぶといコスモス。花を植えてお金がもらえるなんてうれしい仕事だ。それこそ花なんてどうでもいいと言わんばかりに各地で戦争や内乱があり、またホームレス状態の人を寝《ね》かせないために花(花壇《かだん》)を

＊13 「だめ連」とは「モテない、職がない、うだつが上がらない……。自薦他薦《じせん》問わず〝だめ〟な人たちが集まり、孤立して〝だめ〟をこじらせないように、傷を舐《な》めあうための交流の場を創ろう」と1992年活動開始。月1回の交流会、機関紙発行、各種イベントを通して交流・トーク活動をおこなっていたグループ。中心人物のひとりだったぺぺ長谷川《はせがわ》さんは2023年逝去《せいきょ》した。

使って人を排除《はいじょ》したりするような自治体や組織もあるからなおさら、ただ花を植えられるなんて貴重だ……。

庭を掃除したり草をむしる時はしゃがみこむことも多いのでダンゴムシをよく見つける。ダンゴムシは枯《か》れ葉をせっせと腐葉土《ふようど》にしてくれる。

生物の時間を思いだす。植物は有機物や酸素を生みだす生産者。そんな植物の生みだす有機物や酸素を消費する消費者、そしてその消費者が生みだした老廃《ろうはい》物を分解者が土に戻していく。私がなりたい大人の姿は「この社会でえらくなろうとして生産性を上げるよりも、落ちた葉っぱを土に変えていくように、悲しみや不安、絶望や怒りを『神』と共に見つめ噛《か》みしめながら、この場所をほっとできる、息のつける場所にする」姿だ。

そもそも今の時代に大人になることは、私の幼少期に世間で共有されていた「大人」の姿にハマればいいというものではないと感じる。それは良くも悪くも社会の変化だ。社会の変化を感じるひとつの体感的な目安としては、周囲から求められる「○○らしさ」が良くも悪くも変わることかもしれない。

今までの社会では努力や業績を積み重ねたり、前に出たり、「産めよ、殖《ふ》やせよ」じゃないが多くのものや富を集めたり増やしたりすることが大人に近づくことと教

わったように思う。でも私はがんばる以前に、まずこの社会の中でもっと深呼吸ができる場所を増やしたい。深呼吸しつつ必要な時は疑問や言葉を持てる場所をつくりたい。ふだんは地面の中のダンゴムシだけど、疑問や言葉を発する時は同じ甲殻《こうかく》類でも時々赤い色のついた華《はな》やかな見た目の「エビ」になれるような場所をつくりたい。そもそもリラックスできる場所はしゃかりきにがんばったってつくれない。がんばっている人のそばではリラックスできないだろうから。またリラックスするのにもお金が必要なのが今の社会だが、これもなんとか変えたい。このような場所をつくることが、「大人」と呼ばれる年齢になりながらも、今なお私がめざす「大人」「将来」の姿なのかもしれない。

おわりに

ものを言うのは自分より目上の存在、力を持っている存在が相手だと決めていた。だいたい社会運動をする際は、相手は企業《きぎょう》や政府、時に自治体などの組織なので、私個人よりは大きな力を持っている。自分より力の強い相手にものを申すと無視されたり、打ち負かされたりすることも多く、いいとこ相討《あいう》ちといったところでボロボロになることも多かった。

しかし、うっかり――そう、いま思えばうっかりとしか言いようがない――このシリーズを引き受けてしまい、その結果、もう、ただただ、「ハマりきれない」自分をさらしていくことだけを考えた。

すべて書き終えたいま、力の強い相手にものを申す時とは、また違《ちが》う感覚に襲《おそ》われている。いわば脱力《だつりょく》感に近い。もう、あとは読むみなさんを信頼《しんらい》し、ゆだねるのみ。どう思われても、それをただ引き受けよう。そんな気持ちである。

この本を書いて少々変化したことがある。

私はずっと、母が撮《と》りためてくれた写真が収まっているアルバムを開くことが怖《こわ》かった。ここに書いたような、今までは引き出しにしまっていた小さい頃《ころ》のあれやこれ、心細い気持ち、恥《はじ》の気持ちが制御《せいぎょ》できずにあふれ出してしまいそうで怖かったのだ。

しかし、この本を書き終えつつある時期に、実家のアルバムを手にとった。

5歳《さい》の頃の、10代の頃の自分。

あっけないほど、子どもの姿の自分がいた。

内側に抱《かか》えた悩《なや》みや恥《は》ずかしさ、悲しい気持ちがこの身体《からだ》とともにあったのだ。

見た目じゃそうそうわからないとは、まさにこういうことかもしれない。


2024年1月。

私は東京・有楽町、国際フォーラムのホールにいた。

3章で登場した沢田《さわだ》研二、ジュリーのコンサートに出向いたのだ。

ジュリーの声の色っぽさはあいかわらずだった。でも若い頃とは外見は変わったし、時々身体を動かすのがつらそうに見える時もあった。そんなことを言う私は5歳どころかその10倍は生きている。


でもそれでよかった。それがよかった。

あこがれる思い、性的な思い、ただただ昔好きだった歌をいっぱい歌ってくれて楽しい思い。

そしてアンコールには『LOVE（抱《だ》きしめたい）』。


抱きしめたい。抱きしめたい。抱きしめたい。

過去の思いも、過去の身体も。ハマれない現実も。ただただ静かに抱きしめたい。

こどもとおとなのあいだをもっと考えるための作品案内

本文で紹介《しょうかい》した文学作品・戯曲《ぎきょく》・音楽・人物や文化事象などのくわしい情報です。本文には載《の》せきれなかった考え方なども紹介しています。

＊書店で見つからない本は、図書館などで探してみてください。見出しの後に人物は生没年、グループは活動期間を記しています。

● 1章

10月はたそがれの国　レイ・ブラッドベリ著、宇野利泰《うのとしやす》訳（創元SF文庫、東京創元社、1965年）＊原著は1955年。原題は『The October Country』。1章の章タイトル「6月は絶望の月」は、この本のタイトルをもじってつけたもの。正常と異常、優《やさ》しさと偽善《ぎぜん》、真実と嘘《うそ》、この世とあの世の境をわからなくさせるようなSF作品集。

音楽
ガラスのジェネレーション　佐野元春《さのもとはる》作詞・作曲・歌（1980年）

1980年代から活躍《かつやく》したシンガーソングライター、佐野元春（1956年〜）の初期の曲。1章の扉《とびら》（6ページ）の引用文中にある「つまらない大人にはなりたくない」はこの曲の歌詞にある言葉。

バラ色のひきこもり　勝山実《かつやまみのる》著（金曜日、2017年）＊電子書籍《しょせき》

『ひきこもりカレンダー』（文春ネスコ、文藝春秋、2001年）『安心ひきこもりライフ』（太田《おおた》出版、2011年　＊169ページ画像）を書き自称《じしょう》「ひきこもり名人」勝山実さんの、現在進行形の「ひきこもり」生活を語るエッセイ。私と同世代の勝山さんはそれこそ社会が期待しているような「子ども」にも「大人」にもハマれない同志と（勝手に）思っている。

新約聖書

いわゆるキリスト教の「聖典」とされる本。イエスの言葉や、イエスが十字架《じゅうじか》につけられ「復活」した後の弟子の行動、書簡、黙示録《もくしろく》（世界の終末と神の国の到来《とうらい》を預言

する書）などがまとめられている。「新約」とはイエスを通じての神との「新しい契約《けいやく》」を表す。ユダヤ教徒としての神との契約を「旧《ふる》い約束（旧約）」とみなした考え方が表れているが、そのような旧／新の価値づけを示さずに呼ぶ際はいわゆる『旧約聖書』をヘブル（ヘブライ）語訳聖書、『新約聖書』をギリシャ語訳聖書と呼ぶ。ロシア・中東・ヨーロッパ・アメリカ文化を知る際には一定の聖書の知識が必要となる場合が多い。

文化
アメリカンポップス
ここではビートルズが流行《はや》り出す前のアメリカ発のポップスを指している。23ページに出てくるニール・セダカ、コニー・フランシス、ドリス・デイ、ブレンダ・リーなどの歌手が有名。またこの時代のアメリカンポップスは邦訳《ほうやく》されて日本人の歌手が同時期に歌っていた。これらの音楽は大瀧詠一《おおたきえいいち》、桑田佳祐《くわたけいすけ》などの70年代以降に活躍するミュージシャンらにも影響《えいきょう》を与えている。

人物
ジョン・レノン（１９４０年〜１９８０年）
20世紀を代表するイギリスのロックバンド、ザ・ビートルズのメンバー。リードボーカル・ギター担当。登校拒否《きょひ》（不登校）をした経験を綴《つづ》った「とある一日」で引用している『isolation（アイソレーション／孤独《こどく》）』はビートルズ解散後のソロアルバム『ジョンの魂《たましい》』（１９７０年）に収められた曲。１９８０年、ニューヨークにてマーク・チャップマンという白人男性に射殺される。ジョン・レノンの歌詞（特に『ジョンの魂』に収録された曲）は、英語初心者にとてもやさしく、中学生の魂にも突《つ》き刺《さ》さったのだった。

二十世紀旗手《きしゅ》　太宰治《だざいおさむ》著（新潮文庫、１９７２年）＊初版は1937年。
昭和時代の小説家、太宰治の短編小説。青空文庫などでも読める。古代ギリシアの舞台《ぶたい》劇を思い起こすような「合唱隊（コロス）」が「歌」の形で語るように太宰の心情が展開される小説。本文28ページの「生まれてすみません」という言葉はこの作品の副題に由来し、太宰の「名言」として広く知られた言葉だが、実はこれは太宰のオリジナルではなく、寺内寿太郎《じゅたろう》という詩人の詩を太宰が借用（盗用《とうよう》）したものだった。それを知った寺内は精神を病み、失踪《しっそう》したという。これ自体「生まれてすみません」というべき酷《ひど》い話である。（なお、太宰は１９４８年に愛人と心中して亡《な》くなった）

人物
RCサクセション（１９６８年〜２００９年）
デビュー以降の低迷期を経て１９８０年代以降に活躍した日本のロックバンド。忌野清志郎《いまわのきよしろう》をフロントマンとして活躍。１９９１年に無期限活動休止となり、２００９年の清志郎の逝去《せいきょ》に伴《ともな》い実質的に解散となった。ラブソングから政治への風刺《ふうし》まで多岐《たき》にわたる作品を発表しつづけた。『トランジスタ・ラジオ』以外に代表作として『雨あがりの夜空に』『スローバラード』など。

ロックで独立する方法　忌野清志郎著（新潮文庫、2019年）＊初版は2009年（太田出版）。

右のRCサクセションの忌野清志郎の著作。原発反対を歌ったRCサクセションのアルバム『COVERS』（1988年）の発売中止、覆面《ふくめん》バンドでの活躍、1999年「国旗及《およ》び国家に関する法律」の成立にあたってロック調に歌った『君が代』が収録されたソロアルバム『冬の十字架』（1999年）の再度の発売中止などを通して、自由に歌うためにさまざまな芸能業界から「独立」していった経緯《けいい》が綴られている。個人の「自立」はさかんに言われるが「独立」という言葉は滅多《めった》に聞かなくなっている昨《さっ》今《こん》、「独立」しそこで手にするものの意味を考えるのにおすすめの本である。

●2章

星の王子さま　サン＝テグジュペリ作（内藤濯《ないとうあろう》訳、岩波少年文庫、1953年、新版2000年）＊原著は1943年。

自らの住んでいた星を去りさまざまな出会いを通して「ほんとうに大事なものは何か」を見いだしていくいわば「大人向け」の童話。著者のサン＝テグジュペリは、パイロットでもあり1944年コルシカ島からフランス本土に向けて飛行中にそのまま消息不明となる。内藤濯《ないとうあろう》氏の訳が長年親しまれてきたが、近年は池澤夏樹《いけざわなつき》訳（集英社文庫）、河野万里子《こうのまりこ》訳（新潮文庫）など複数の訳がある。

人物 **チャールズ・チャップリン**（1889年〜1977年）

サイレント映画（無声映画）の時代から20世紀後半に至るまで活躍した俳優・映画監督《かんとく》・脚本家《きゃくほんか》・作曲家・映画プロデューサー。彼の役柄《やくがら》において、山高帽《やまたかぼう》にステッキ、ちょびひげがトレードマークとなっている。社会の底辺で生きる人々を描《えが》いた初期の作品から、フォード社（自動車会社）の台頭《たいとう》などで特徴的《とくちょう》な20世紀の工業化社会を風刺した『モダン・タイムス』（1936年）を制作。さらに第二次世界大戦下においてはアドルフ・ヒットラーとナチズムを批判した『独裁者』（1940年）が有名。特に『独裁者』のラストの6分間の演説は必聴《ひっちょう》。ちなみにヒッ

トラーとは同い年で誕生日は4日しか違《ちが》わない。＊171ページの画像は『チャップリン自伝　若き日々』（中里京子訳、新潮文庫、2017年）。

戯曲

ガラスの動物園　テネシー・ウィリアムズ作（小田島雄志《おだしまゆうし》訳、新潮文庫、1988年）＊1944年初演。

テネシー・ウィリアムズによる戯曲《ぎきょく》。1930年代のアメリカ南部のセントルイスが舞台《ぶたい》。父親が不在の家庭で昔の夢を追う母親アマンダ、足が悪いことを気にしてひきこもりがちの娘《むすめ》ローラ、そしてその弟でこの戯曲の語り部《べ》トムを中心として描かれたドラマ。男性との接点がなく、ひきこもっている女性が描かれる数少ない作品。私が登場人物（ローラ）に自己投影《とうえい》させて読めた数少ないクラシカルな作品として紹介した。

ロビンソン・クルーソー　ダニエル・デフォー著（唐戸信嘉《からとのぶよし》訳、光文社古典新訳文庫、2018年）＊原著は1719年。

55ページに登場する『ロビンソン漂流記《ひょうりゅうき》』はこの『ロビンソン・クルーソー』の第1部を指す。航海中に船が難破したロビンソンは無人島に漂着《ひょうちゃく》し、自力で生活を築きあげていく。ちなみに『ロビンソン・クルーソー』には第2部があり、ロビンソンはまたもや航海に乗り出す運びとなっているらしい（筆者は未読）。日本語訳は第1部は光文社古典新訳文庫ほか多くの翻訳《ほんやく》がある。岩波文庫（平《ひら》井正穂《いまさお》訳）は第2部まで読める。

●間奏曲

恐《おそ》るべき子供たち　コクトー著（中条省平《ちゅうじょうしょうへい》・中条志穂《しほ》訳、光文社古典新訳文庫、2007年）＊原著は1929年。

二人の姉弟エリザベートとポールを中心に描かれる悲劇。姉弟間のインセスト（近親姦《かん》）的な関係、あるいはポールと友人間の同性愛を想起させる関係から生じた破滅が描かれている。ジャン・コクトーはフランスの詩人・小説家。

●3章

人物

沢田《さわだ》研二（1948年〜）

本文でも触《ふ》れたように1960年代から現在に至るまで現役の歌手・俳優。代表曲は『勝手にしやがれ』『時の過ぎゆくままに』『TOKIO』など。なお、77ページで触れた「現実の沢田研二」と「テレビに出てくるジュリー」の違いについて、沢田研二主演『太陽を盗《ぬす》んだ男』（1979年公開）の監督である長谷川和彦《はせがわかずひこ》は「実際に会って喋《しゃべ》ったり飲んだりするようになって、まあ、『ジュリー』というより『沢田』なんだよね。周りもみんな『沢田』と呼ぶし」「彼自身はむしろジュリーであることを嫌《いや》がっているとこもあってね。嫌がるとは一言では言いづらいんだろうが、『ジュリーと沢田研二は違うのや』というふうに思っているところもあって」と語っているという（島﨑《しまざき》今日子著『ジュリーがいた』文藝春秋《ぶんげいしゅんじゅう》、2023年より）。

人物

ザ・ドリフターズ（1956年〜）

通称《つうしょう》「ドリフ」。コミックバンド、お笑いグループ。TBS系の「8時だョ！全員集合」やフジテレビ系の「ドリフ大爆笑《ばくしょう》」などのテレビ番組に出演。子どもたちを中心に人気を博す。現在残っているメンバーは加《か》藤《とう》茶、高木ブーのみ。ちなみに1966年のビートルズ来日公演では前座を務めている。

人物

ピンク・レディー（1976年〜）

前出のザ・ドリフターズ全盛《ぜんせい》期の1970年代後半、一《いっ》世《せい》を風靡《ふうび》した2人組女性アイドル。沢田研二の曲を多く手がけてきた阿《あ》久《く》悠《ゆう》が作詞し2024年3月現在文化庁長官の都《と》倉《くら》俊一《しゅんいち》が作曲した楽曲で人気を博した。代表曲は『UFO』『渚《なぎさ》のシンドバッド』など。ちなみにサザンオールスターズのデビュー作『勝手にシンドバッド』（1978年）は沢田研二の『勝手にしやがれ』とピンクレディーの『渚のシンドバッド』をくっつけた志村けんのネタからの命名。

人物

光《ひかる》GENJI（1987年〜1995年）

性暴力や性虐待《ぎゃくたい》の事件により問題となった旧ジャニーズ事務所（2023年に社名をSMILE-UP.に変更）に所属し、ローラースケートで舞台をすべりながら歌う姿で、1980年代後半に人気を博した7人の男性アイドルグループ。ちなみにジャニー喜多川元社長の性虐待を約35年前に告発した書籍に北公次《こうじ》著『光GENJIへ——元フォーリーブス北公次の禁断の半生記』（データハウス、1988年）がある。「フォーリーブス」も旧ジャニーズ事務所に所属したアイドルグループ。

文化

アルコホーリクス・アノニマス

アルコホーリクス・アノニマス（通称AA）とはアメリカ人のビルとボブが1935年に出会って始めた匿名《とくめい》で参加できるアルコール依存症《いぞんしょう》者のグループであり、12ステップと呼ばれるプログラムに従って依存症からの回復（完全な治《ち》

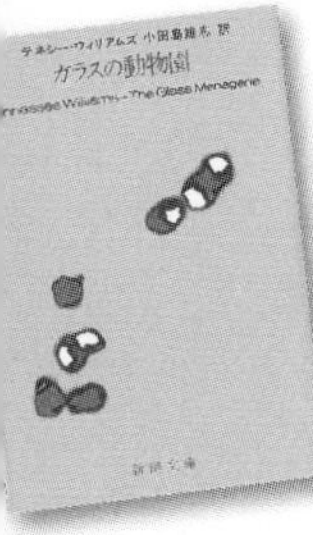

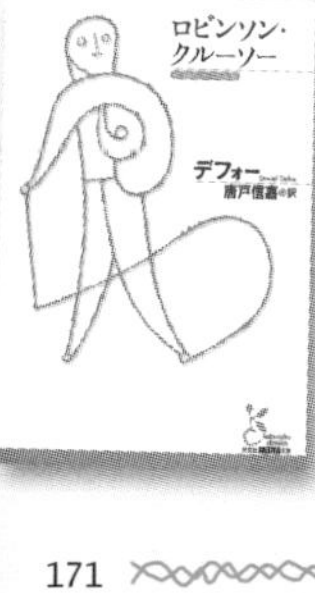

癒《ゆ》ではなく、回復しつづける状態となる）に努める団体。世界的に広がっている。4章の扉（112ページ）の引用は12ステップの最初のステップからの一部を改変したもの。

文化 映画館

今はシネマコンプレックスが主流だが私が不登校のさなか通いつめた1980年代の映画館は、シネコンともミニシアターとも言えない中規模な映画館で、またそのような映画館が当時は多く存在していた。たまたま近所の映画館で古いハリウッド映画の特集が行われ初めて女優、マリリン・モンローを見る。1980年代のアイドルは華奢《きゃしゃ》な痩《や》せ型の女性が人気だったが、モンローの肉感的な体や演技はとても魅力《みりょく》的で私は自分の脂肪《しぼう》を小さい頃よりはそれ以降嫌《きら》わなくなった。またモンローの最後の出演作品の『荒馬《あらうま》と女』（1961年）では、モンロー演ずる女性がマッチョな男性たちに対して激しい怒《いか》りをあらわにするラストシーンを見て雷《かみなり》に直撃《ちょくげき》されたような衝撃《しょうげき》を受けた記憶《きおく》がある。「かわいかろうがなんだろうが、容姿関係なく怒りをぶちまけたい時はぶちまけるべき」とその時に改めて学んだ。ちなみにこの映画の原題は「The Misfits」で「不適合者」という意味である。

人物 山川菊栄《きくえ》（1890年〜1980年）

近現代日本の代表的な女性解放運動家・評論家。晩年は私の実家にほど近い神奈川県藤沢《ふじさわ》市村岡《むらおか》に居《きょ》を構えていた。私にとってはいわば地元の偉人《いじん》であるが、体制と常に争ってきた山川菊栄が生きていたらこういう表現を嫌いそうではある。おすすめの著書は『山川菊栄評論集』（鈴木裕子《すずきゆうこ》編、岩波文庫、1990年）など。山川菊栄の蔵書を収めた「山川菊栄文庫」は現在神奈川県立図書館に所蔵されている。

人物 アドリエンヌ・リッチ（1929年〜2012年）

アメリカの詩人。ベトナム反戦や中絶の問題など平和運動やウーマンリブの運動にもかかわりを持った。彼女の著作集『嘘、秘密、沈黙《ちんもく》。アドリエンヌ・リッチ女性論』（大島かおり訳、晶文社《しょうぶんしゃ》、1989年）所収の「女と名誉《めいよ》――嘘についての覚え書」という作品は人間や女性にまつわる「嘘」に関する言葉が掲載《けいさい》されており、嘘をつくこと、あるいは率直であることの社会的背景と個人のメンタリティにおける意味について考えさせられた作品でもある。「神の前で正直であること」をめぐるキリスト教の文脈のみならずフェミニズムにおいてもこのような作品が存在していることを紹介したい。

文化 10《テン》フィート運動

1980年に私が見たのは当時の広島平和記念資料館（略して「原爆資料《げんばくしりょう》館」と呼ばれていた記憶がある）の展示

物を鎌倉《かまくら》に移送して展示したイベントだが（134ページ参照）、1980年代初頭のこの時期、アメリカ軍が撮影《さつえい》しアメリカの国立公文書館が保管していた原爆投下後の広島・長崎を記録したフィルムを市民の手で買いとろうという運動が全国的に盛りあがっていた。全8万5千フィートの長さのフィルムを1人3000円ずつ（10フィートずつ）買いとろうという運動で、「10フィート運動」と呼ばれる。この運動の成果もあり、このフィルムは無事に日本に戻《もど》ってきた。

文化
キリスト教

キリスト教は、正教会《せいきょうかい》（東方正教会）と呼ばれるギリシャ正教会やロシア正教会、ローマ教皇《きょうこう》を頭とするカトリック教会、マルチン・ルターの宗教改革を経てカトリック教会から独立し、その後さまざまな宗派が生まれたプロテスタント諸教会に大きくは分かれる。仏教、イスラム教とともに世界の三大宗教のひとつに数えられる。

人物
アンネ・フランク（1929年〜1945年）

ユダヤ人としてドイツで生まれるもナチスの台頭にともない、家族でアムステルダムに移住。しかし1940年オランダがナチス・ドイツに占領《せんりょう》されたのを受け、42年から2年間アムステルダム内でフランク一家のほか合計8人での隠《かく》れ家《が》での生活を過ごす。しかし44年8月4日にナチスの親衛隊に隠れ家を発見され強制収容所へ移送される。翌年3月不衛生な収容所で発疹《ほっしん》チフスに罹患《りかん》し、15歳《さい》の生《しょう》涯《がい》を閉じる。その隠れ家生活においてアンネは日記をキティと名づけ、友人に話しかけるように書いた。隠れ家の住民たちのナチスによる収容所への移送後にその日記が隠れ家に残され、隠れ家生活を支援《しえん》した女性が保管。その後収容所から生還《せいかん》したアンネの父、オットーがこの日記を手渡《てわた》され、出版。世界各地でベストセラーとなる。日本語訳は『増補新訂《しんてい》版　アンネの日記』（深町眞理子《ふかまちまりこ》訳、文春文庫、2003年）で読める。21世紀の今（2024年3月現在）、イスラエルがパレスチナのガザ地区を攻撃《こうげき》していることがどうにもやりきれない。

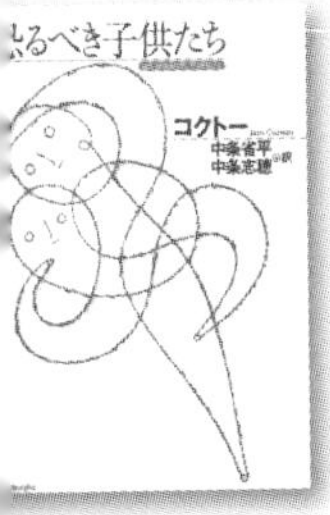

著者＝栗田隆子（くりた・りゅうこ）

1973年神奈川県生まれ。文筆家。大阪《おおさか》大学大学院で哲学《てつがく》を学び、シモーヌ・ヴェイユを研究。その後、非正規労働者として働きながら女性の貧困や労働問題の解決に向けたアクションを行うグループやネットワークにかかわる。現在は新聞・雑誌などでの執筆《しっぴつ》を中心に活動。著書に『呻《うめ》きから始まる　祈《いの》りと行動に関する24の手紙』（新教出版社）、『ぼそぼそ声のフェミニズム』（作品社）、共著に『高学歴女子の貧困　女子は学歴で「幸せ」になれるか？』（光文社新書）など。

装画・本文イラスト＝ミロコマチコ

1981年生まれ。画家、絵本作家。いきものの姿をのびやかに描《えが》き、絵本の制作やワークショップにも力を注ぐ。絵本では『オオカミがとぶひ』（イースト・プレス）、『てつぞうはね』（ブロンズ新社）、『ぼくのふとんは　うみでできている』（あかね書房《しょぼう》）、『オレときいろ』（WAVE出版）などで受賞多数。現在は南の島在住。

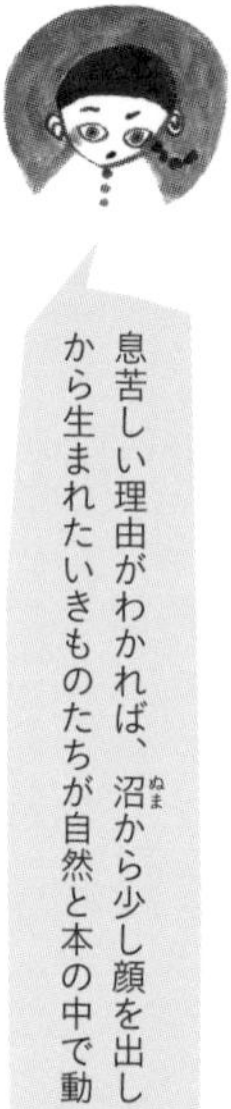
息苦しい理由がわかれば、沼《ぬま》から少し顔を出して呼吸できる。この本から生まれたいきものたちが自然と本の中で動いてくれました。

シリーズ 「あいだで考《かんが》える」

ハマれないまま、生《い》きてます

こどもとおとなのあいだ

2024年5月20日　第1版第1刷発行

著者　栗《くり》田《た》隆《りゅう》子《こ》

発行者　矢部敬一

発行所　株式会社　創元社

本社 ――――――――――――――――――

〒541-0047 大阪市中央区淡路町4-3-6

電話 (06) 6231-9010 (代)

東京支店 ――――――――――――――――

〒101-0051 東京都千代田区神田神保町1-2 田辺ビル

電話 (03) 6811-0662 (代)

ホームページ　https://www.sogensha.co.jp/

編集　藤本なほ子

装丁・レイアウト　矢萩多聞

装画・本文イラスト　ミロコマチコ

印刷　株式会社太洋社

　ISBN978-4-422-36017-1 C0336

シリーズ「あいだで考える」

創刊のことば

私たちは、本を読むことで、他者の経験を体験できます。

本の中でなら、現実世界で交わることのない人々の考えや気持ちを知ることができます。自分と正反対の価値観に出会い、想像力を働かせ、共感することができます。

本を読むことは、自分と世界との「あいだに立って」考えてみることなのではないでしょうか。

さまざまな局面で分断が見られる今日、多様な他者とともに自分らしい生き方を模索《もさく》し、皆《みな》が生きやすい社会をつくっていくためには、白でもなく黒でもないグラデーションを認めること、葛藤《かっとう》を抱《かか》えながら「あいだで考える」ことが、ますます重要になっていくのではないでしょうか。

シリーズ「あいだで考える」は、10代以上すべての人のための人文書のシリーズです。

書き手たちは皆、物事の「あいだ」に身を置いて考えることの実践者《じっせん》。その生きた言葉は、「あいだ」を考えるための多様な視点を伝えます。

それを読むことは、自ら考える力、他者と対話する力、遠い世界を想像する力を育むことを助け、正解のない問いを考えてゆくためのねばり強い知の力となってゆくはずです。

先の見えない現代、10代の若者たちもオトナと呼ばれる世代も、不安やよりどころのなさを感じ、どのように生きてゆけばよいのか迷うことも多いはず。

本シリーズの一冊一冊が「あいだ」の豊かさを発見し、しなやかに、優《やさ》しく、共に生きてゆくための案内人となりますように。

そして、読書が生きる力につながる実感を持ち、知の喜びに出会っていただけますようにと願っています。